図解でわかる

14歳から考える資本主義

インフォビジュアル研究所・著

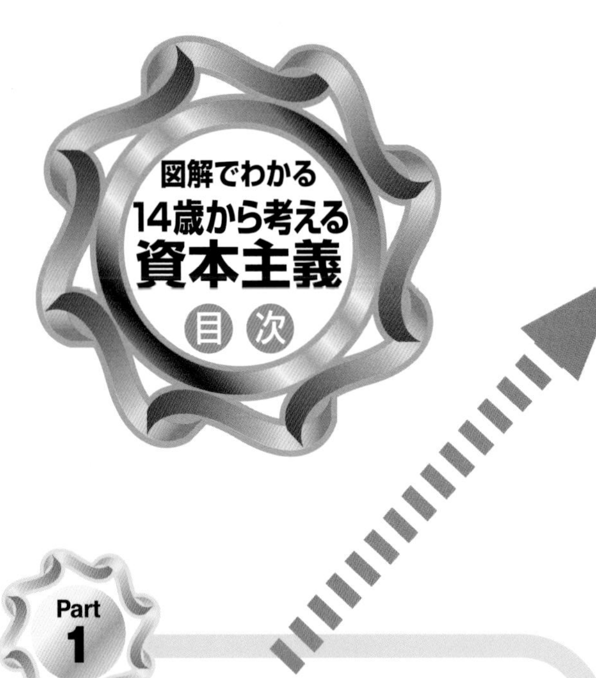

Part 1 資本主義の理想と現実

Part 2 資本主義のできるまで イエティ君の冒険旅行

Part 3 資本主義を動かす8つの

Part 4

資本主義は何を間違ったのか

歯車

Part 5

明日の資本主義のために

経済の誕生を その大もとまで たどってみる

人類だけに起きた認知革命

資本主義は、経済システムのひとつの形です。経済とは、ごく簡単に言えば、生活

約20万年前の私たちホモ・サピエンスは、地球上の動物たちのなかで、とても弱い存在だった

そして20万年が経ち

その弱い私たちが、動物たちの頂点に君臨するようになった

そして20万年が経ち

猫族の支配する帝国はできなかったが

しかも、地球の環境を汚しまくり、気候変動まで引き起こしていた。なぜ？

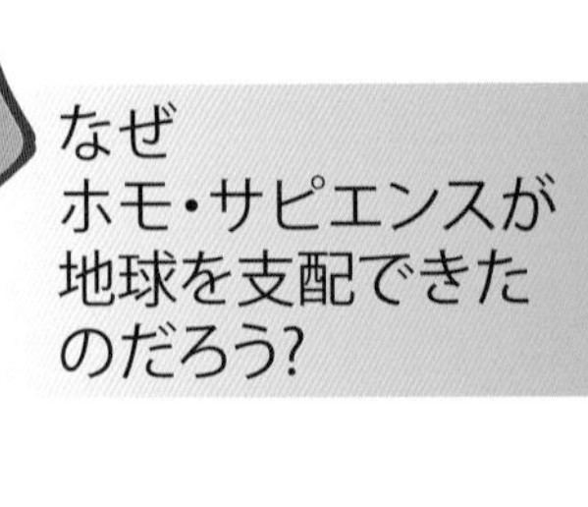

に必要な物やサービスをやりとりする活動。その仲立ちとして使われるのが、お金です。そもそも経済やお金は、どのようにして誕生したのでしょう？　その源を探ると、人類だけがもつ能力にたどりつきます。

私たち人類、ホモ・サピエンスは、約20万年前に地上に現れ、いまやあらゆる生物の頂点に君臨しています。それほどの進化を遂げた理由を、歴史学者ユヴァル・ノア・ハラリは、約7万年前、ホモ・サピエンスに「認知革命」が起こったためだと記しています。ホモ・サピエンスの脳は、物事を認識する能力に優れ、脳のなかで虚構の物語をつくり出し、それをほかの人と共有する想像力を獲得したのです。

例えば、お金そのものは食べることができないのに、私たちは、「お金は食べ物と交換できる」という物語を少しも疑っていません。お金も経済も、もともとは人間の想像力が生み出したものなのです。

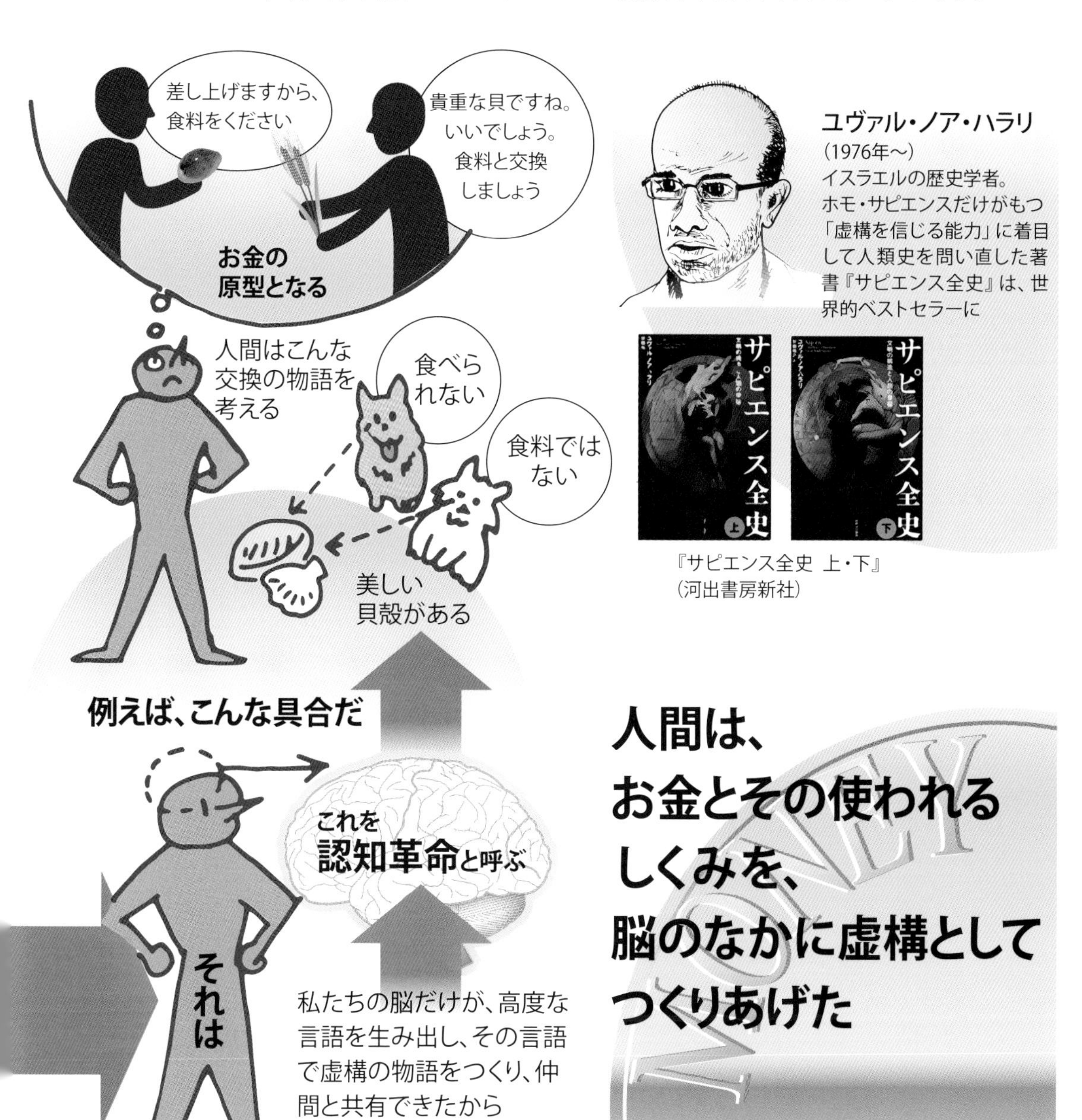

Part 1
資本主義の
理想と現実
②

人間は幸せになる道具として お金と経済の物語をつくった

現実になった脳内の物語

人類は、なぜ虚構の物語を生み出し、それを皆で信じるようになったのでしょう。

わかりやすい例が、宗教です。太古の人々は、生き抜くために厳しい自然と向き合ってきました。自然は恵みを与えてくれる一方で、ときに牙をむき、日照りや疫病など、予期せぬ災いをもたらします。人間にはどうすることもできない見えない力に、人々は恐れを感じたことでしょう。そこで人々は、神という絶対的存在をつくり出し、祈りを捧げることで、感謝を表したり、神の怒りを鎮めたりすることができる、という

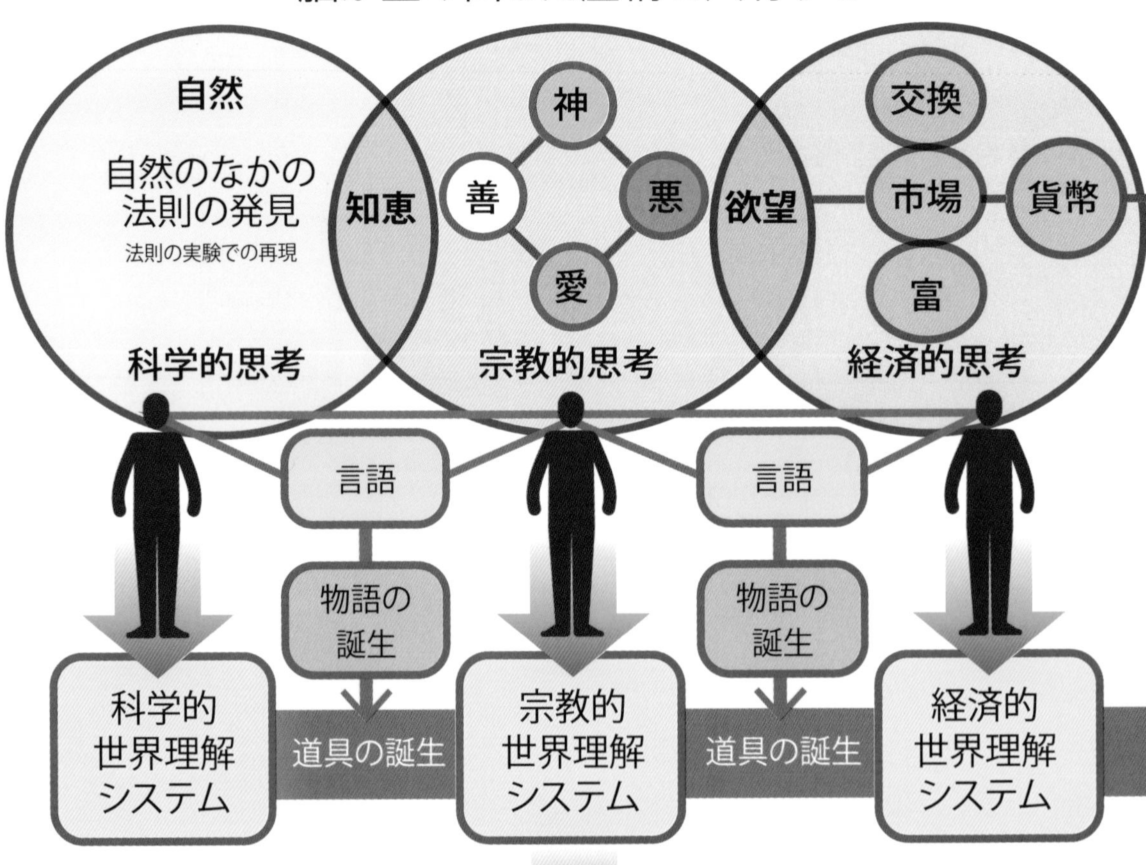

物語を編み出します。そして、この物語を人々が信じたとき、それは虚構ではなく、人々の脳が共有する現実になったのです。

経済は幸せになるための物語

同じように、法律も、国家も、そして経済も、人類の想像力によって生み出されたものでした。共同体のなかで、協力し合って、よりよく暮らすためには、一定の決まり事が必要だったのです。

とりわけ経済という物語は、人々の暮らしに直接関わるものであり、誰もが幸せになるための手段となるはずでした。確かに、経済が成長するとともに、人々の暮らしは豊かになりました。しかし、日本を代表する経済学者、宇沢弘文（うざわひろふみ）さんは、現在の経済は人間の心を大切にしていない、と嘆き、幸せのための経済学を生涯追い求め続けました。宇沢さんの考え方は、本書 Part 4 で詳しく紹介しますが、その前に、経済という物語が、どこでつまずき、何を間違えてしまったのかを見ていきましょう。

虚構(物語)が、現実となる

金貨

現実の金貨が誕生し、機能する

- 交換のための価値の基準となる
- それ自体が価値をもつ
- それ自体の蓄積が富の蓄積となる

経済システムも、人類の脳が生み出した、壮大な虚構(物語)のひとつ

それは、幸せのための手段

いまある資本主義もそうして生み出された道具のひとつ

ところが

宇沢 弘文
（1928～2014年）
日本の経済学者。公害、成田闘争、地球温暖化など、経済が引き起こす諸問題に着目し、人間のための経済学を目指した

『経済学は人びとを幸福にできるか』
（東洋経済新報社）

Part 1
資本主義の理想と現実
③

資本主義も人類の幸せのための道具
間違いがあれば、つくり直せばいい

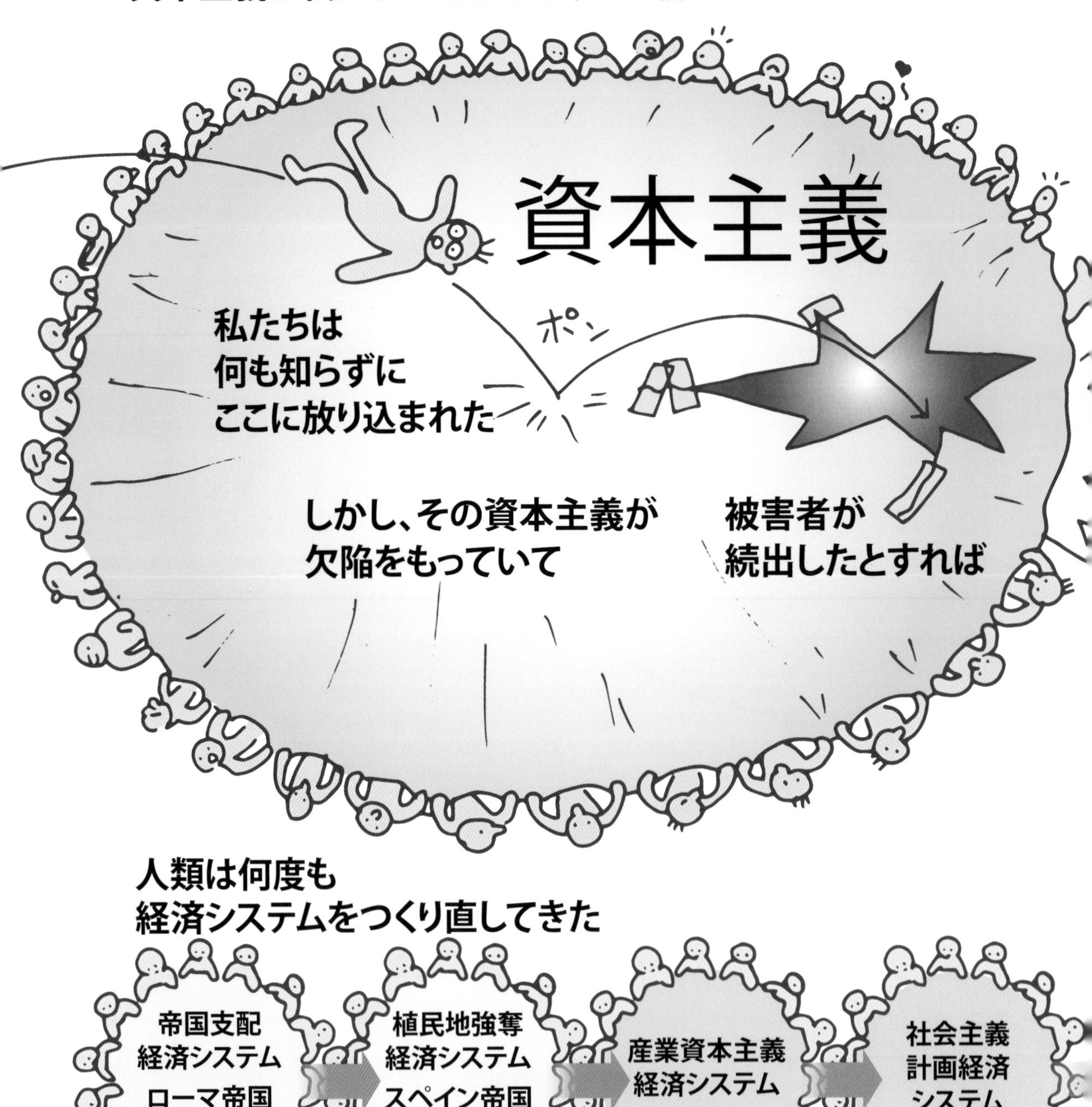

経済は人間がつくった道具であり、人間全体が最も幸せに暮らせる状態に至るまで、何度でもつくり替えるべきものだ

毎日新聞2020年5月12日号
「シリーズ 疫病と人間」より

経済学者
ムハマド・ユヌス

『貧困のない世界を創る
ソーシャル・ビジネスと新しい
資本主義』(早川書房)

始まりは幸せの追求から

資本主義とは、お金や会社などの「資本」を中心にして動く経済システムです。資本をもつ「資本家」が、資本をもたない人々を「労働者」として雇い、事業で利益を上げて資本を増やしていく。これが、資本主義の基本的なしくみです。

資本主義体制では、誰もが資本をもって、事業を始めることができます。何をつくり、何を売っても自由です。ほかの人と競争するのも自由なので、売り上げを伸ばすために、よりよい商品やサービスが生み出されます。頑張れば、頑張った分だけ報われる。それが資本主義のよさだといわれてきました。ところがいま、資本主義は、すべての人を幸せにする経済システムではないことに多くの人が気づき始めています。

見直しを迫られる資本主義

人類は、より幸せになるために、何度も経済システムをつくり変えてきました。18世紀に資本主義が生まれる前は、絶対的な権力をもつ王や国家が、富を握っていました。これでは、市民はいつまでたっても幸せにはなれません。そこで、市民にも富を得る機会が与えられるよう、資本主義という経済システムが考え出されました。

古い経済システムに誤りがあれば、新しくつくり直す。こうやって人類は、経済を発展させてきました。資本主義も、最初は人々を幸せにする道具として期待されていましたが、長く続くうちに、欠点が見えてくるようになりました。そろそろつくり直す時期にさしかかっているのです。

次のページからは、資本主義によって引き起こされた弊害を見ていきましょう。

産業資本主義の誕生が地球温暖化を招いた

増え続ける温室効果ガス

資本主義が招いた大きな誤りのひとつは、いま問題になっている地球温暖化です。

20世紀後半以降、短期間で世界の気温が上昇しています。これは、人間が二酸化炭素（CO_2）などの「温室効果ガス」を大量に空気中に排出するようになったためです。

温室効果ガスは、地球に届く太陽の熱が逃げてしまわないように、温室のように一定の気温に保つ役割を果たしています。そのおかげで、生物が住んでいられるわけですが、温室効果ガスが増えすぎると、熱がこもって地球が温かくなってしまいます。

世界のCO_2排出量は、1950年代から急増している

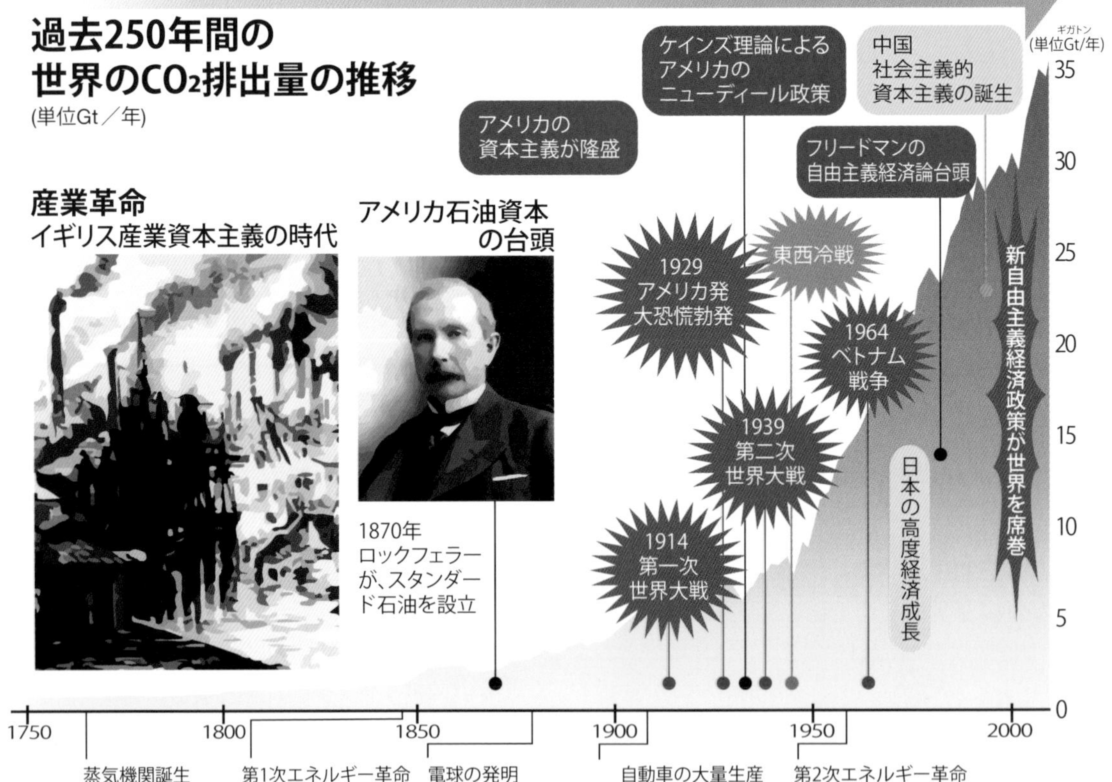

産業エネルギーの推移

蒸気機関誕生

1769年
ジェームス・ワットが蒸気機関を改良。水力・風力から熱エネルギーの時代へ

第1次エネルギー革命

19世紀
木炭から石炭へ
イギリスの炭鉱開発が進み、石炭火力エネルギーの時代へ

電球の発明

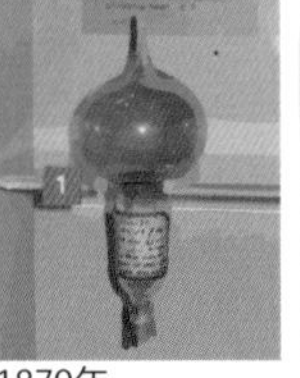

1879年
エジソンが電球を発明し、1882年にマンハッタンに火力発電所もつくった

自動車の大量生産

1908年
T型フォードが生産開始。1年で1万台を販売した

第2次エネルギー革命

1950年代～
石炭から石油へ熱エネルギー源が変化。鉄道も蒸気から電化が進む

1969年
ジャンボジェット登場

ボーイング社が最大450人乗りの超大型ジェット旅客機を開発

産業革命が招いたCO_2大放出

18世紀後半、イギリスで産業革命が起こり、それまで人間が手でつくっていたものが、機械でつくられるようになりました。資本家が大工場をつくり、多くの労働者を雇い、一度に大量の商品を生産して利益を上げる、産業資本主義の誕生です。

同時にエネルギー革命が起こり、機械を動かすために、それまでの薪や水力に代わり、石炭を燃やしてエネルギーを得るようになりました。20世紀後半には、石油の時代が訪れ、石油資本が世界を動かします。石炭も石油も、燃やすとCO_2を排出します。工場だけでなく、発電所からも、自動車からもCO_2が吐き出され、メタン、フロン類など濃度の高い温室効果ガスも、産業活動によって排出されるようになりました。その結果が、地球温暖化です。

経済を優先した「昨日の資本主義」は、温室効果ガスを無制限に出し続ける産業構造を生み出してしまったのです。

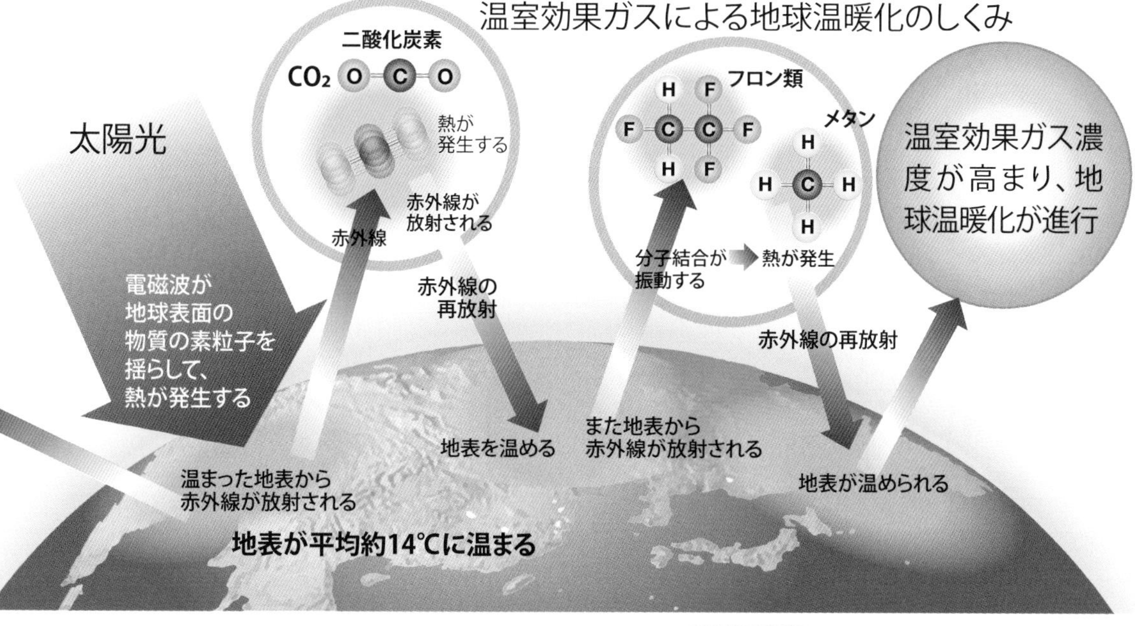

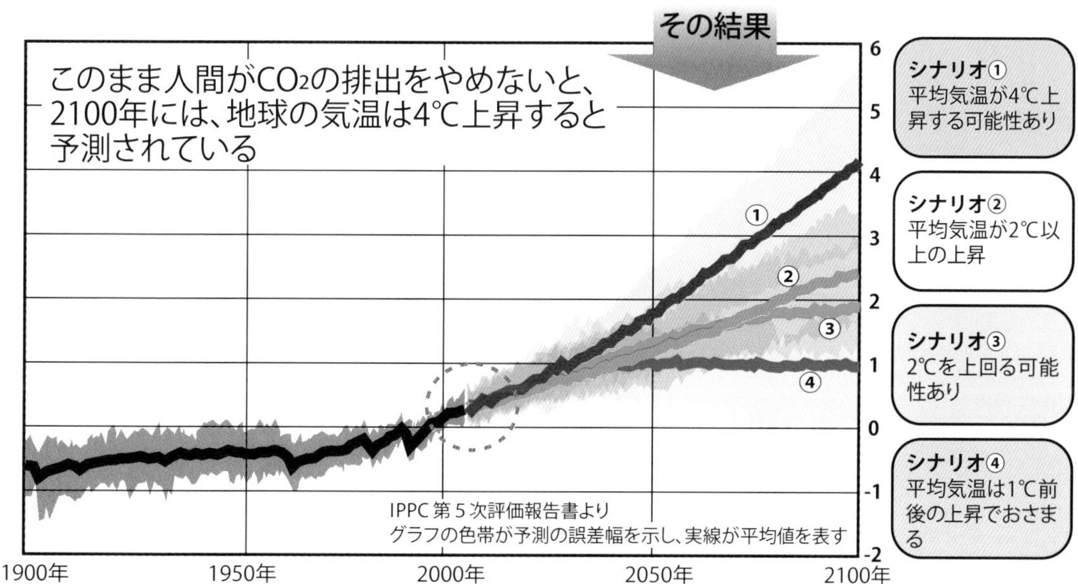

利益優先の経済システムが気候危機を次世代に残した

止まらない気候変動

地球温暖化は、単に地球の気温が上がるだけではすまない問題です。下に示したように、気温の上昇が原因で、世界中でさまざまな問題が起こっています。

気温が上がると、地球上の氷が溶けて海面が上昇し、小さな島や水辺にある街は、水没の危機にさらされます。また、日本では近年、豪雨や巨大台風による被害が増えていますが、これも地球温暖化の影響です。気温とともに海の水温も上がり、海水が大量に蒸発して大きな雲をつくりやすくなっているのです。一方、ヨーロッパでは、北

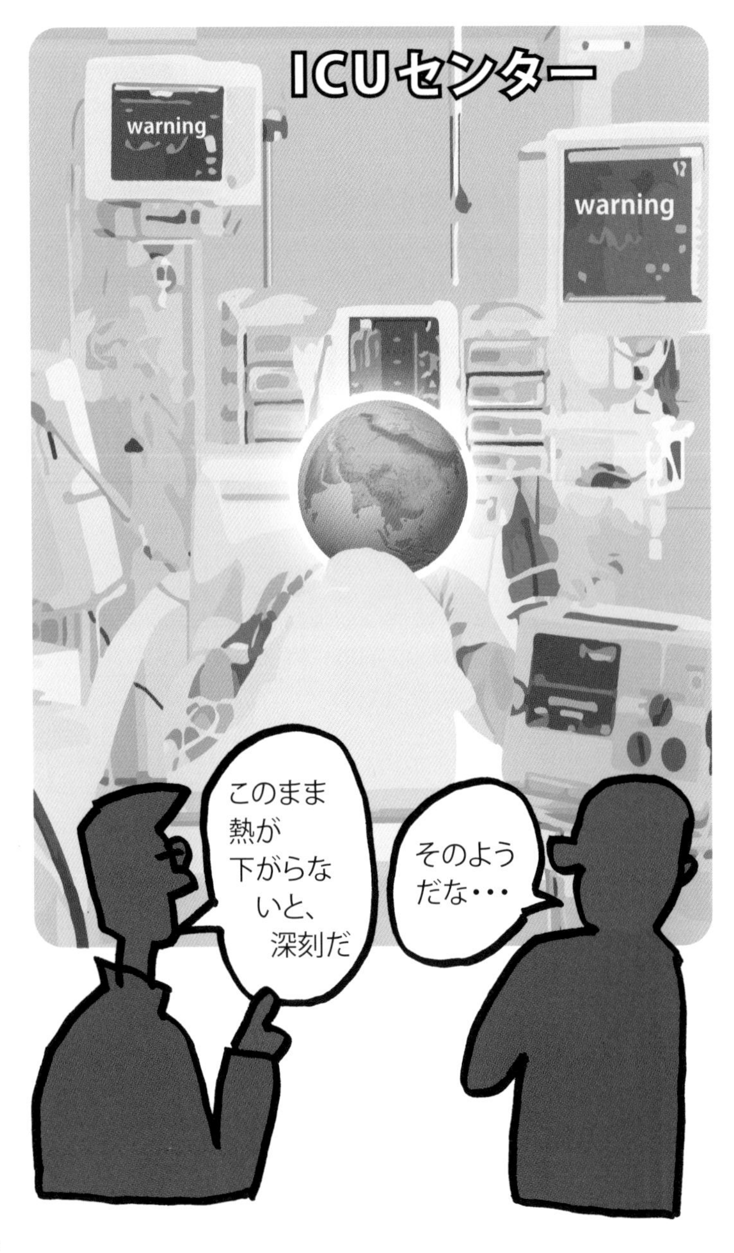

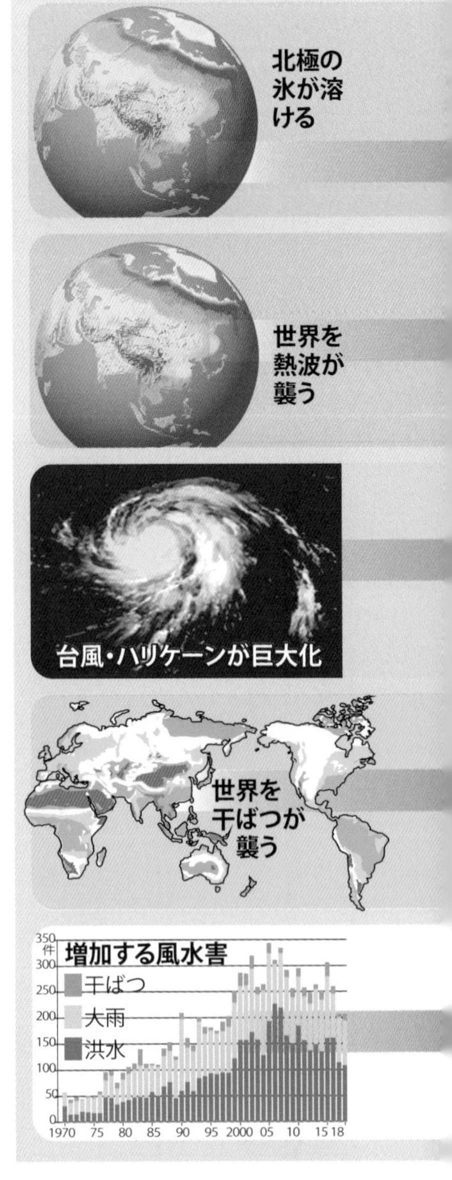

極の気温が上昇していることに起因して、高温が何日も続く熱波という現象が起こりやすくなっています。さらに深刻なのは、世界各地で起こっている干ばつです。もともと乾燥している地域は、気温上昇によってますます乾燥し、作物が育たなくなるばかりか、飲み水も不足してしまいます。

希望の見えない未来

このように、地球温暖化は、地球の気候システムを狂わせ、「気候変動」を引き起こしています。石油エネルギーを中心にして成り立つ現代の資本主義経済は、気候を変えてしまうほど、大量のCO_2を短期間で排出し続けてきたのです。しかも、30年も前から、このままでは地球が危機的状況に陥る、と指摘されているにもかかわらず、CO_2 排出量は、増え続けています。

将来、気候変動による直接的な被害を受けるのは、現在の若い世代です。利益優先の資本主義は、次世代の未来を奪うものだ、と批判されるのも当然といえるでしょう。

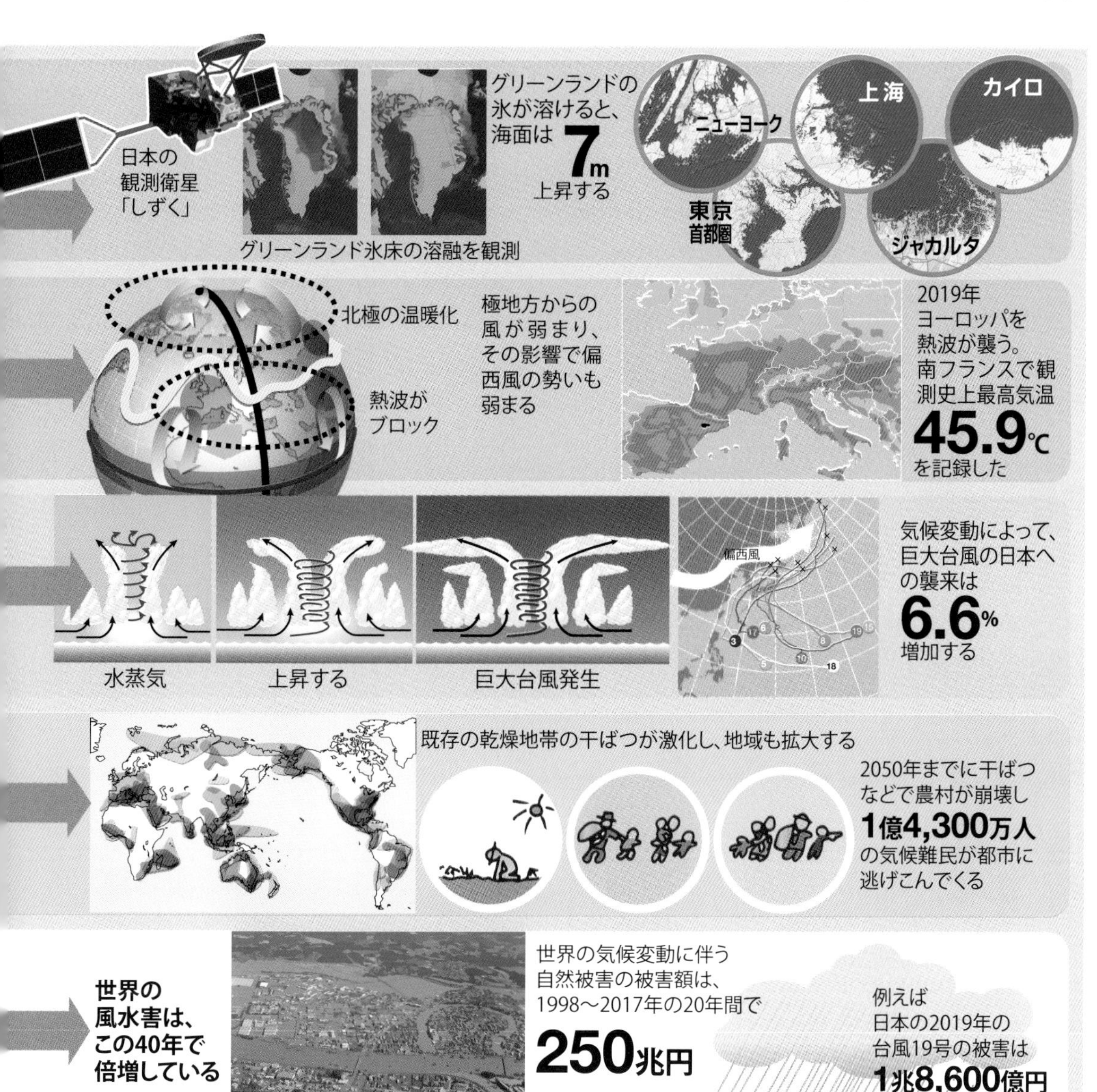

Part 1
資本主義の理想と現実
⑥

行きすぎたグローバル経済が圧倒的な経済格差を生んだ

押しつけられた経済改革

下に示したグラフは、主だった国々の1人当たりGNI（国民総所得）を比較したものです。ひと目でわかるように、所得が高いのは、ヨーロッパ、北アメリカを中心とした先進国。一方、アフリカ、南アメリカ、

アジア、産油国を除く中東の国々は、所得が低くなっています。

豊かな国は北、そうでない国は南に位置するため、この経済格差は「南北問題」とも呼ばれます。途上国の多くは、ヨーロッパ列強の植民地として支配され、ようやく独立したのは、第二次世界大戦後のことです。すでにその頃から、南北間の格差はありましたが、それをいっそう拡大させたのは、グローバル化した資本主義でした。

資本主義とは異なる社会主義体制をとっていたソ連が崩壊したのを機に、1990年代以降、アメリカ主導の新自由主義経済が世界に広まります。国際通貨基金、世界銀行、アメリカ財務省は、「ワシントン・コンセンサス」という合意のもとに、途上国に経済援助する条件として、税制改革、市場の規制緩和、金利や貿易の自由化などを要求。アメリカの多国籍企業や巨大金融資本が参入しやすい環境を整え、瞬く間に市場を席巻していきました。その結果、圧倒的な経済格差が生まれてしまったのです。

1人当たりの、国民総所得額を全世界で比較してみた

どこの国の人々も、真面目に働いていて、この圧倒的な格差はなぜ生まれたのだろうか？

トップのノルウェーと、最下位のアフリカのブルンジ共和国では、**455倍**もの開きがある

アメリカ 56,761
カナダ 50,948
メキシコ 10,137
ニュージーランド 37,338
ガイアナ 3,890
ベネズエラ 13,922
コロンビア 7,502
エクアドル 5,044
ブラジル 10,765
ボリビア 2,505
ペルー 6,143
ウルグアイ 13,581
アルゼンチン 9,672
チリ 14,493

なぜって俺に聞かれてもなぁー

南アメリカグループ

出典　World Bank national accounts data, and OECD National Accounts data files
2018年（一部例外あり。金額は2010年度のUSドルに換算）

Part 1
資本主義の理想と現実
⑦

ひと握りの富豪が富を独占する絶望的な格差を拡大させた

国際非政府組織（NGO）オックスファム・インターナショナルは、世界の富豪上位26人が保有する資産の合計は1兆4,000億ドル（約153兆円）で、この金額は貧困層38億人の保有資産と同額と発表した

たった26人で153兆円を保有

資本主義が招いた経済格差は、国と国の間だけではありません。同じ国のなかでも、「もてる者」と「もたざる者」との著しい格差が生まれています。

世界の貧困問題解決に取り組む国際協力団体オックスファムによれば、世界の富豪上位26人がもつ資産の合計は、約153兆円にものぼり、この金額は、貧困層38億人の資産に相当するといいます。

大富豪が最も多く、世界一裕福な国とされるアメリカでも、約4,000万人が貧困にあえぎ、55万人以上が路上生活を強いられています。この極端な貧富の差は、いったいどこからくるものなのでしょう？

労働より投資が財を生む

富豪たちは、労働によって資産を増やしてきたわけではありません。企業の株や不動産などに投資し、財を増やしている人がほとんどです。つまり彼らは、もっているだけで収益が得られる「お金のなる木」をたくさんもっているのです。

一方、労働者の所得は、たとえ企業が大儲けしても、さほど増えるわけではありません。企業の利益は、資本をもつ経営者や株主に、より多く還元されます。

労働者の所得よりも、富裕層の投資による利益のほうが、はるかに伸び率が高いため、両者の差は縮まらない。そう指摘するのは、フランスの経済学者ピケティです。彼は、ベストセラーになった著書『21世紀の資本』のなかで、格差が生じるのは、資本主義の宿命であることを、多くのデータを用いて実証し、このままでは、ますます格差は拡大する、と警鐘を鳴らしています。

世界の
26人の
大富豪の
資産が!!
153兆円
153
これは、
古代帝国の
話よね
いや
2020年、
いまの話さ

Part 1
資本主義の理想と現実
⑧

世界の11人に1人が飢える食の不平等を生み出した

飢える国と飽食の国

貧困(ひんこん)と並んで、世界が解決を迫られているのが、飢餓(きが)の問題です。

世界全体では、すべての人々が食べるに十分な食料が生産されています。ところが、世界の飢餓人口は、約6億9,000万人。じつに11人に1人が、栄養不足の状態に陥(おちい)っています。その一方で、世界では年間13億トンもの食料が捨てられています。

飢えに苦しむ人が多いのは、アフリカやアジアの国々。食品廃棄物(はいきぶつ)が多いのは、欧米や日本などの先進国(せんしんこく)です。生きるために誰もが必要とする食料が、なぜ平等に分配

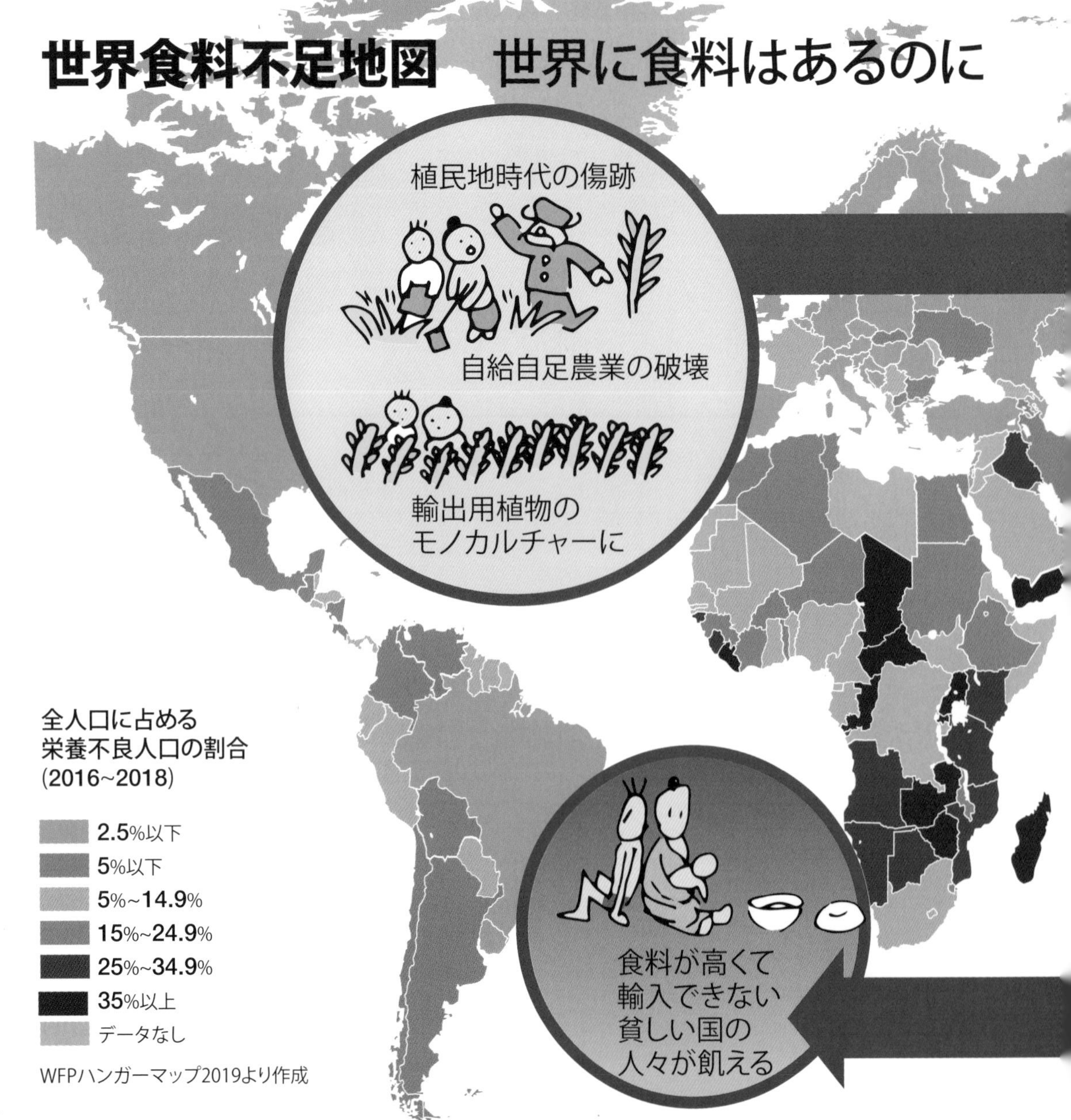

されていないのでしょう。

自給自足から市場経済へ

アフリカ・アジア諸国は、ヨーロッパ列強の植民地になるまで、農業を中心とした自給自足生活を送っていました。しかし、植民地政策によって、砂糖やコーヒーなど、先進国が求めるものをつくるよう強要され、自給自足生活が崩れてしまいます。そのため、独立後も、足りない食料を輸入しなければならなくなりました。

しかし、資本主義の市場経済では、作物の価格は、たびたび変動します。価格が高騰すると、貧しい途上国は買うことができません。国内でかろうじて生産されている作物も、近年は気候変動によって、収穫量が不安定になっています。また、アフリカは、植民地時代に列強が勝手に国境を決めたため、部族が分断されて紛争が絶えず、それが飢餓の原因になっている国もあります。植民地時代に始まる先進国の資本主義経済は、多くの負の遺産を残したのです。

11人に1人は飢えている なぜ?

『世界の半分が飢えるのはなぜ?』
(ジャン・ジグレール著、合同出版)

始まりは物々交換から

資本主義(しほんしゅぎ)が生まれた背景には、より豊かになりたいと願う人類の試行錯誤(しこうさくご)の歴史がありました。その歩みを、山奥に暮らしていたイエティ君という少年と一緒に、タイムトラベルしながらたどってみましょう。

大昔の人々は、魚や動物をつかまえたり、木の実をとったりして、自給自足(じきゅうじそく)の暮らしを送っていました。けれども、ほしいものがいつも手に入るわけではありません。そこで人々は、物と物を交換する「物々交換(ぶつぶつこうかん)」を始めるようになりました。

イエティ君も、シカの革(かわ)と塩を交換しようとしたのですが、シカ革をほしがる人は塩をもっていないし、塩をもっている人はシカ革はいらないと言います。このように、お互いのほしがるものが一致しないのが、

物々交換の欠点です。そこで考え出されたのが、物の価値の基準となるものを決め、物々交換の仲立ちにすることでした。これが、「お金」の始まりです。

交換の仲立ちとしてお金が誕生

古代社会では、穀物や貝殻、布などが、物を交換するときの仲立ちとして使われていました。イエティ君が訪ねた市場では、ドングリが使われていたので、シカ革をまずドングリと換え、そのドングリで塩を手に入れることに成功しました。

最初はみんなが認めるものなら何でも「お金」になったのですが、そのうちに、できれば価値があって、もち運びしやすく、長く貯蔵できるものがいい、と考えられるようになります。それらすべての条件を満たしたのは、光り輝く金でした。

経済活動の始まり 貨幣の登場で交易が広まる

物の価値の決まり方

シカ革を塩に換えたイエティ君。お使いは、これで終わるはずだったのですが、道に迷ってしまったことから、時間と空間を超えた大冒険が始まります。

いまから約1万年前、人類は集団で定住して、農業を始めました。それまでの狩猟採集生活では、各自が食料を探していたのですが、農耕生活では、作物をつくる人だけでなく、道具をつくる人、家を建てる人など、分業で共同体を支えるようになり、やがて都市国家が生まれます。

都市の市場でも、最初はまだ物々交換が行われていました。とある市場で、イエティ君は、塩1袋を大量の米と換えてくれともちかけられます。ここでイエティ君は、気づきます。この見知らぬ土地では、塩がと

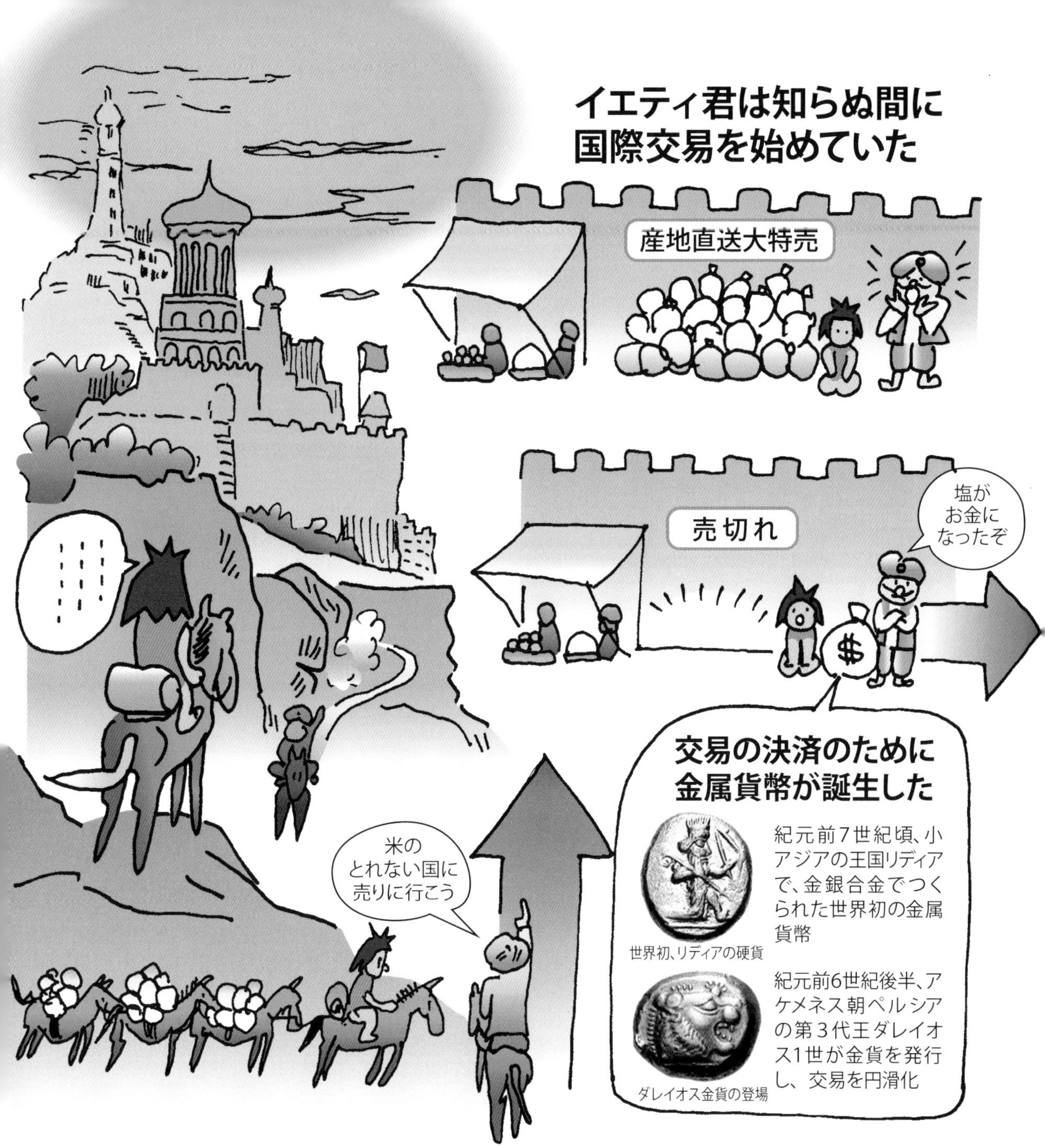

れないので、塩は貴重なもの。米はたくさんとれるので、ありふれたもの。つまり、土地によって、物の価値が違うのです。

金属のお金、硬貨が普及

そこで、交換した米を、米のとれない国にもっていったところ、イエティ君のねらい通り、ほしがる人が次々現れました。需要（じゅよう）と供給（きょうきゅう）が、ぴったり合ったのです。

しかもその国では、金属のお金、つまり硬貨（こうか）が使われていたので、イエティ君は、ちょっとしたお金持ちになりました。硬貨は、紀元前7世紀頃に、リディアという国で初めて誕生しました。ドングリと違って、金属は、それ自体に価値があり、誰もがほしがったので、ほかの国でも金貨や銀貨などがつくられるようになります。貨幣（かへい）を介（かい）することで、交易（こうえき）も発展していきました。

Part 2
資本主義のできるまで
イエティ君の冒険旅行③

商業資本主義が生まれ両替ネットワークができる

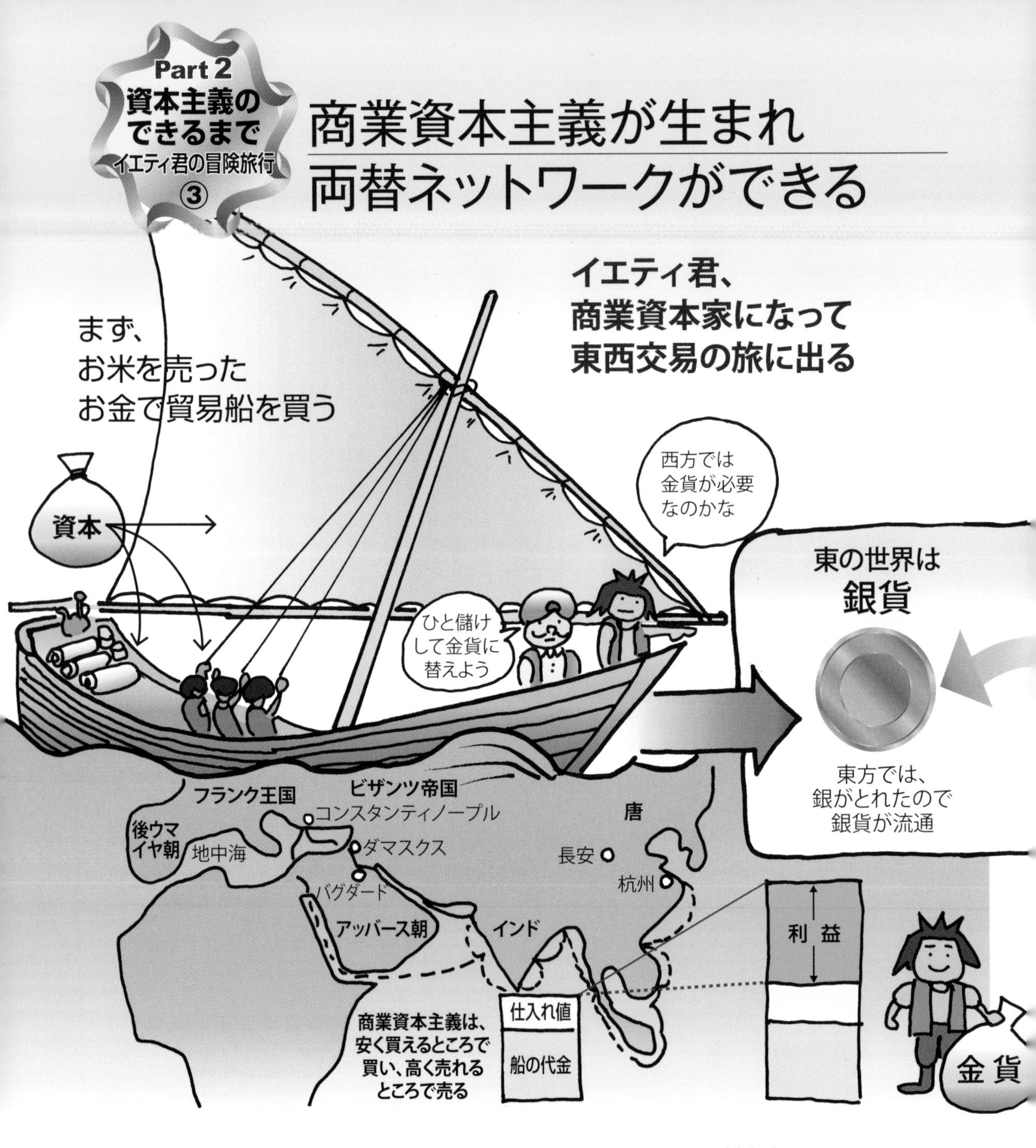

交易でお金が儲かるしくみ

紀元前1世紀に誕生したローマ帝国は、地中海沿岸を中心に、一大経済圏を築きあげ、その後のヨーロッパ世界に大きな影響を与えます。一方、中東では8世紀以降、イスラム教徒による国家が力をつけ、イスラム商人が各地で活躍するようになりました。アッバース朝の都バグダードには、中国（唐）から絹や陶磁器、インドから宝石や香辛料、ヨーロッパから毛皮や織物などがもたらされ、東西交易が盛んになります。

商人たちは、安く買える場所で物を買い、高く売れる場所で売り、その差額で利益を得ました。これを「商業資本主義」といい、本格的な資本主義の先駆けとなりました。

「資本」とは、事業を始めるための元手のこと。イエティ君には、大量の米を売っ

両替商のネットワークがヨーロッパで発展
為替があれば、どこでも換金できるように

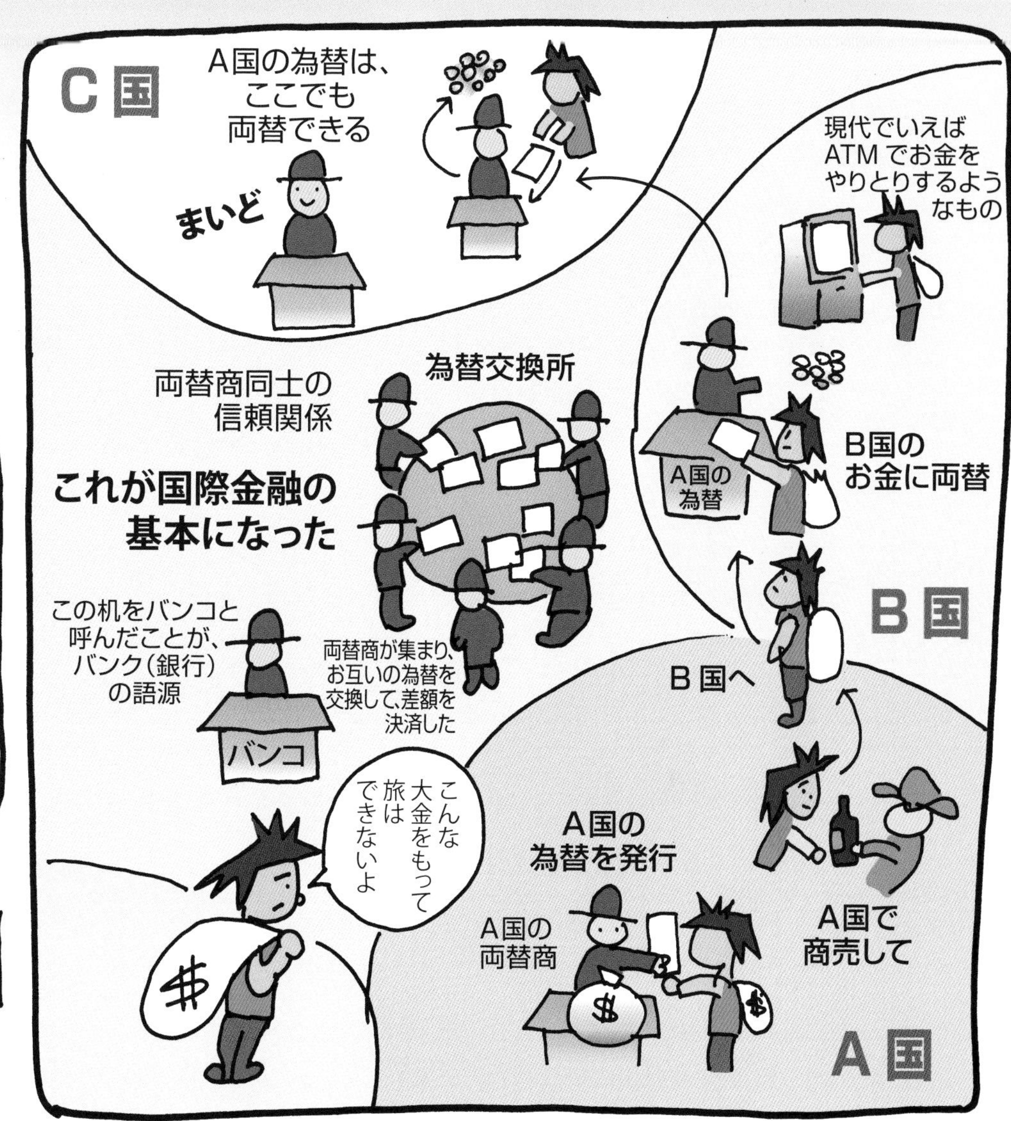

たお金があったので、これを資本にして船を買い、品物を仕入れました。向かった先は、西方のヨーロッパです。

信用に基づく金融の始まり

交易で面倒なのは、国によって貨幣(かへい)が違うことです。現代でも、海外旅行に行くと、日本円を現地のお金と両替(りょうがえ)しなければなりません。中世(ちゅうせい)のヨーロッパには、貨幣の異なる小王国がいくつもあったので、当時すでに両替商が活躍していました。両替が発展して、為替手形(かわせてがた)も使われていました。

為替手形とは、お金の証明書のようなもの。かさばる現金をもち歩かなくても、手形1枚で、どの国のお金とも交換できました。それができたのは、両替商同士の信頼関係があったからでした。これが、現在の銀行の金融(きんゆう)業務に引き継がれていきます。

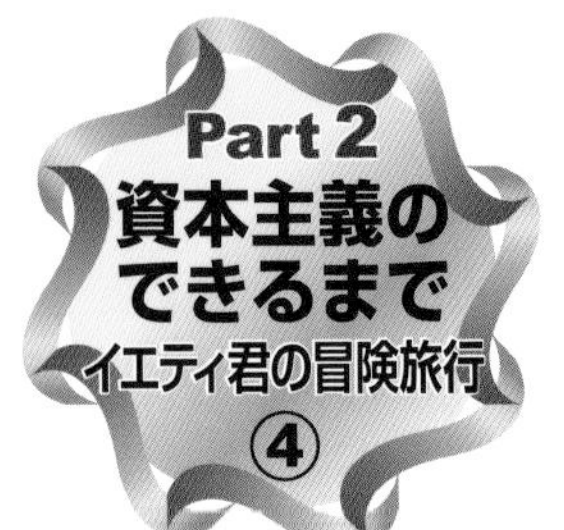

絶対王政を援助して大商人から資本家へ

戦費を借金で調達した王たち

中世末期、ヨーロッパは、国王が絶対的な権力を握る絶対王政の時代を迎えます。その頃の王は、領土を拡大するために、戦争ばかりしていました。戦争をするには、お金が必要です。そこで王は、交易で富を築いた商人たちからお金を借りました。

東西交易でひと財産築いたイエティ君も、王に頼まれてお金を貸し、借用書を受け取りました。これが、国が債券と呼ばれる証書を発行して国民からお金を集める「国債」の始まりです。

王の軍隊が、戦争に負けてしまうと、貸したお金は一銭も戻ってきません。反対に、戦争に勝ち、新しい領土と新しい財産を手に入れると、国のお金が増えます。すると、イエティ君の手元に、貸したお金が増えて

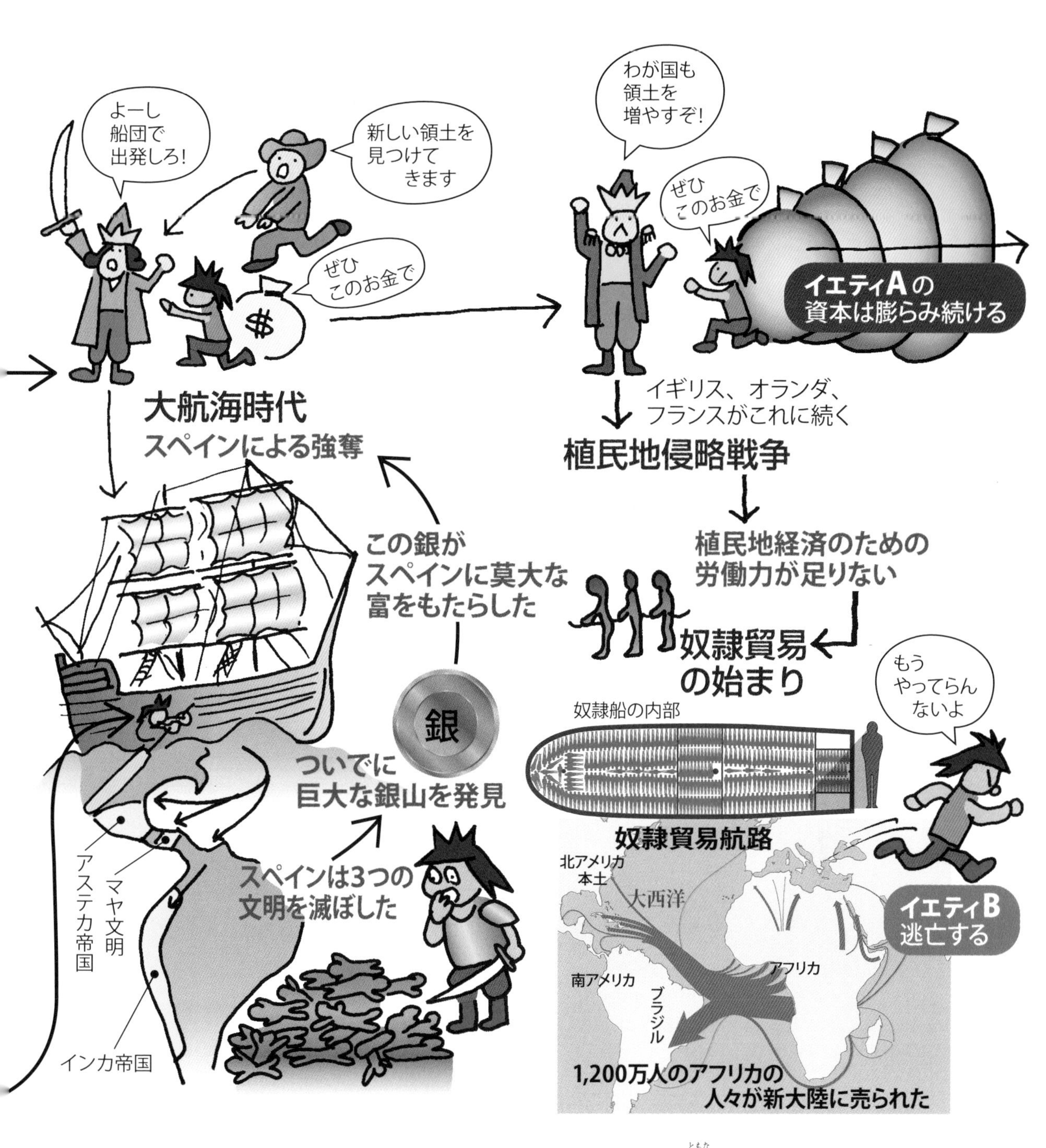

戻ってきました。この増えた分が、現在「金利」や「利息」と呼ばれているものです。

大航海を支えた資本家

15世紀になると、ヨーロッパの国々は、新たな領土を探して海を越えるようになりました。大航海時代の幕開けです。航海に必要な莫大な費用を援助したのは、やはり裕福な商人たちでした。

航海は危険を伴うので、失敗するリスクもありましたが、船が未開の地に到達し、珍しい品々をもち帰ると、資金を出した商人たちは、分け前をもらって大儲けしました。そして、増えたお金で、次の航海にまた出資します。これが「資本家」の原型ですが、彼らの富は、侵略され、植民地となった地から奪ったものであり、他者の犠牲のうえに成り立つものでした。

市民が自由を手に入れ 資本主義の基礎が固まる

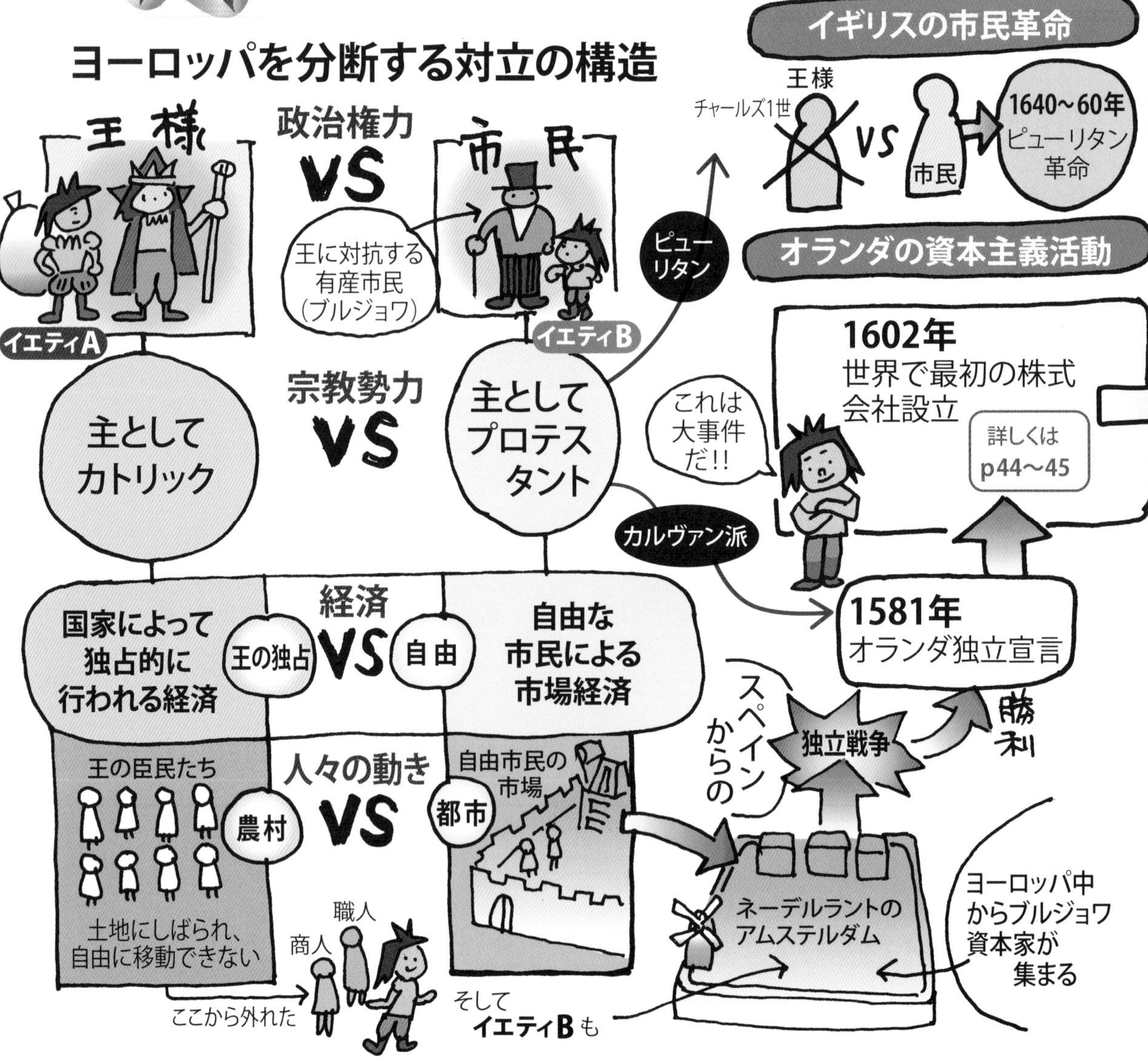

オランダで株式会社誕生

絶対王政が続くヨーロッパでは、しだいに王の圧政に反発する声が高まるようになります。王室と結んだキリスト教の旧教カトリックと、主に市民に支持された新教プロテスタントの対立も起きていました。これまで通り、王を援助するのか、それとも市民として新しい生き方を目指すのか、イエティ君も選択を迫られます。

古い社会から、最初に抜け出したのは、スペインから独立を勝ち取ったオランダでした。その中心都市アムステルダムは、自由な気風をもつ商業都市として栄え、東方貿易の重要拠点となります。1602年には世界初の株式会社、オランダ東インド会社が誕生。株式会社は、その後の資本主義経済に欠かせないものになっていきます。

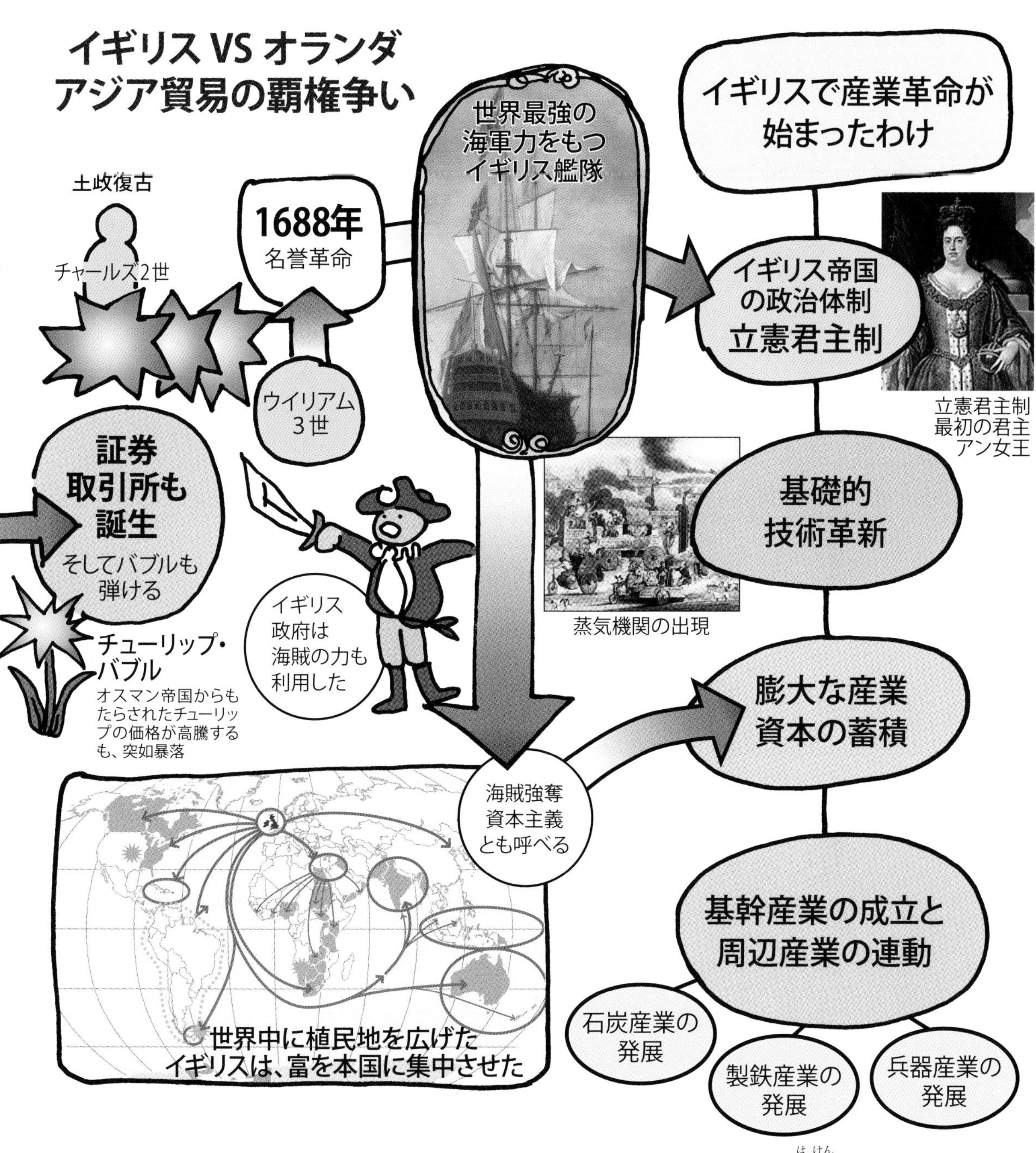

世界の富を集めた大英帝国

一方、イギリスでは17世紀半ばに新教徒によるピューリタン革命が起こり、絶対王政を倒します。その後、一度は王政が復活しましたが、1688年の名誉革命によって、王の権力は制限され、市民は政治的にも経済的にも自由を手にするようになりました。

この一連の市民革命のさなか、イギリスはオランダと、海上貿易の覇権をめぐって、戦争を繰り広げていました。これが結果的には、イギリス海軍を強化させます。イギリスは、最強の艦隊によって、七つの海を制覇し、大帝国にのしあがっていきます。ときには海賊を雇って、ほかの国の船から財宝を奪うことさえありました。

こうして世界中の富を集めたイギリスで、資本主義の土台が固まっていきます。

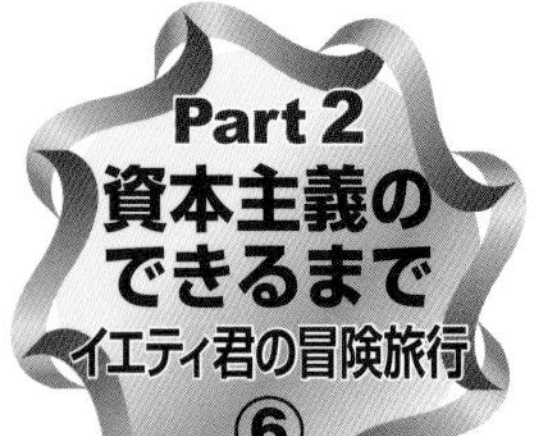

産業革命が生んだ産業資本家

植民地貿易で莫大な富を手に入れたイギリスで、18世紀後半、産業革命が起こります。植民地からもたらされた豊富な原料、蒸気機関に代表される技術革新、そして急激に増えた都市人口に支えられ、手づくりの時代から、機械を使った大量生産の時代へ、産業が大きく転換したのです。

ここに登場したのが、「産業資本家」と「労働者」です。お金を出して工場や機械などを所有した産業資本家が、労働者を雇い、物を生産して利益を上げる。これが、資本主義という経済システムの始まりでした。

商品になった労働力

それまでも、裕福な商人が資本を出して商売をし、利益を上げるしくみはありまし

た。では、近代の資本主義は、どこが違うのでしょう？　それは、人の労働力と時間を、原料や機械と同じように、お金で買ったことです。しかも、工場が増えてくると、資本家たちは、競い合って利益を増やそうとし、労働者を安い賃金で長時間働かせるようになりました。

19世紀後半、ドイツの経済学者マルクスは、イギリスの労働者たちの窮状（きゅうじょう）を見て、資本主義は、資本家と労働者という新たな階級対立を生み出している、と批判します。資本家は、労働力という商品を買い、賃金を超える価値を生み出すまで働かせ、この「剰余価値（じょうよかち）」を「搾取（さくしゅ）する（しぼりとる）」ことで儲けている。これでは資本家しか豊かになれない。そう考えたマルクスが提唱（ていしょう）したのが、当時、芽生（めば）えつつあった「社会主義（しゃかいしゅぎ）」への移行でした。

Part 2 資本主義のできるまで イエティ君の冒険旅行⑦

社会主義の理想は消え 世界は新自由主義経済へ

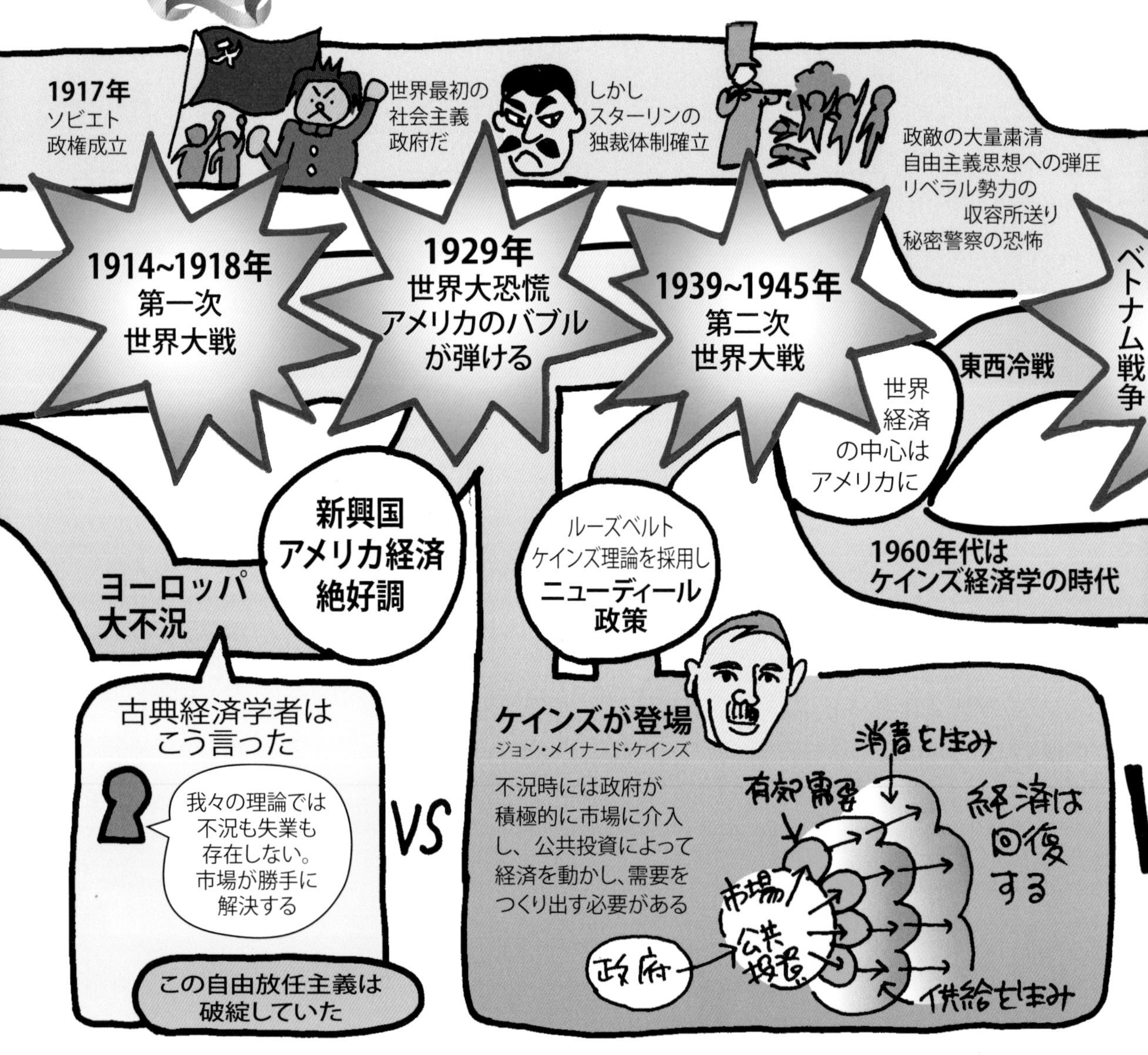

平等を目指した社会主義

社会主義を最初に実現した国は、1917年のロシア革命によって帝政を倒し、その5年後に成立したソビエト連邦でした。

社会主義は、資本主義の弊害である搾取を禁じ、あらゆるものを共同で管理し、国民みんなが平等に分配を受けることを目指しました。しかし、政治指導者は独裁や汚職に走り、労働者は計画経済の過剰なノルマを課せられ、労働意欲も生産性も低下。現実は理想とはかけ離れ、社会主義国ソ連は1991年に崩壊してしまいます。

アメリカ主導のグローバル経済へ

一方、帝国化したヨーロッパ列強は、第一次世界大戦を起こして国力を失い、資本主義の舞台は、新興国アメリカに移ります。

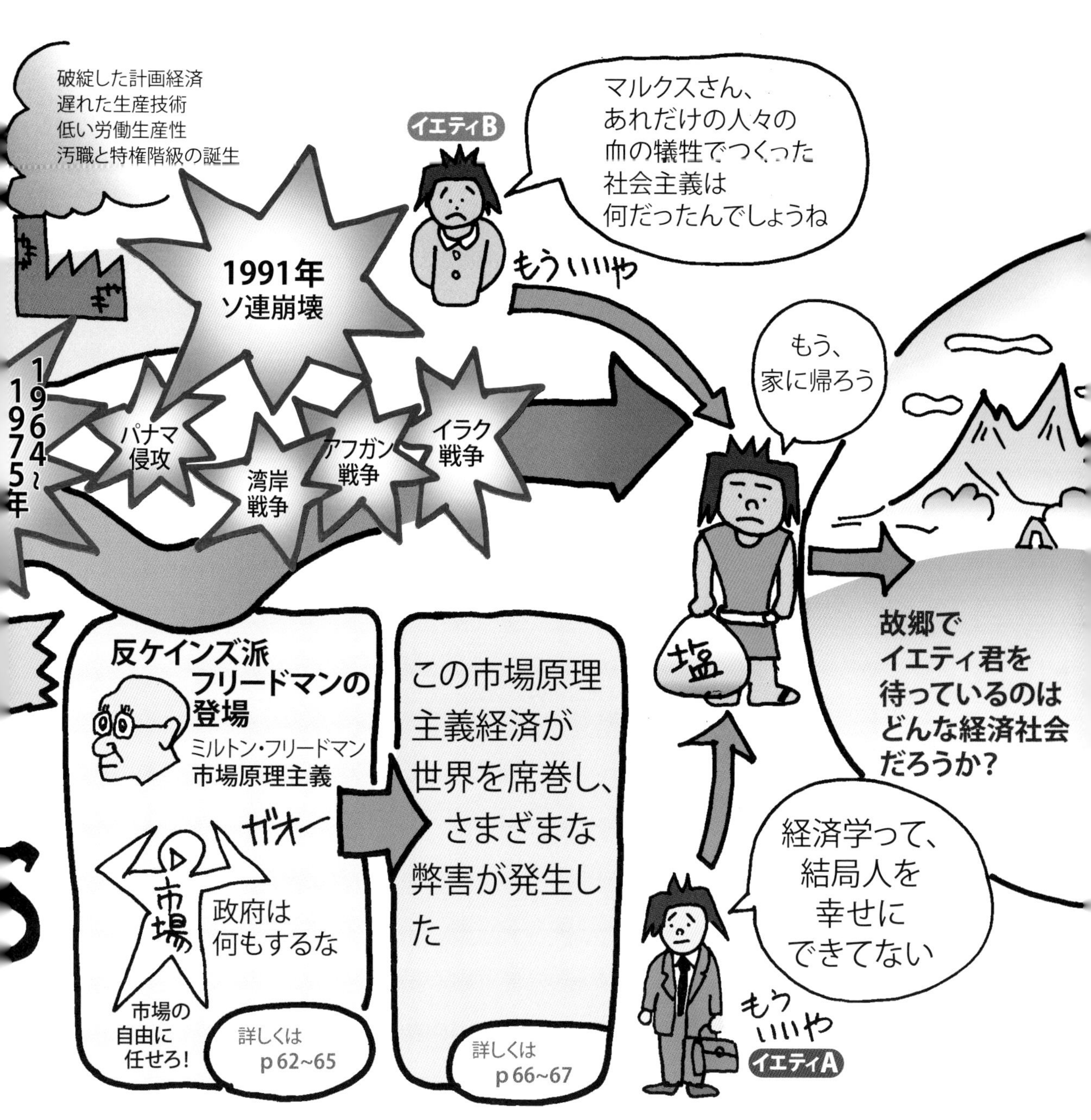

資本主義の形も変わっていきました。

自由な経済活動を野放しにした結果、1929年に世界は大恐慌に陥ります。このときアメリカは、政府が経済の調整役を務めるべきだ、と説く経済学者ケインズの理論を実行に移し、不況を切り抜けました。

しかし、1980年代以降、再び経済の自由が求められるようになり、「新自由主義経済」が誕生。このアメリカ型の経済システムが、ソ連崩壊後、瞬く間に世界に拡大します。競争を勝ち抜いた巨大企業や巨大金融資本が、世界の隅々まで入りこみ、経済のグローバル化が進んでいきました。

古今東西の経済を見てきたイエティ君は、お金に振り回されることに疲れ、そろそろ故郷に戻りたくなってきました。あらゆる人が幸せに暮らせる経済の形は、いつになったら現れるのでしょう。

私的所有権

なぜ自然を所有できると人は考えたのか

この土地は俺のもんだ

17世紀頃より私的所有権を正当化する経済理論が登場

アダム・スミス
(1723~1790年)
イギリスの経済学者。労働は生産物に対する所有権を生むと考えた

自然物
＋
労働
＝
私有物
(新しい価値)

ジョン・ロック
(1632~1704年)
イギリスの哲学者。所有権は労働によって発生すると説いた

土地
＋
労働
＝
私有地
(新しい価値)

「私のもの」という概念

私たちは、生まれたときから資本主義社会に暮らしているので、資本主義の特徴に気づきにくいものです。そこで、ここからは、資本主義というシステムを動かす８つの歯車を図解していきます。

第一の歯車は、私的所有権。「これは私のもの」と財産の所有を主張できる権利です。自分の財産は、自由に使ったり、売ったりすることができます。いまでは当たり前のことですが、当たり前になったのは、近代の資本主義が確立してからです。

自然界にあるものは、もともと誰のものでもありません。大昔には、所有という概念もありませんでした。人々が共同で暮らすようになると、「我々が使う土地や物は我々のもの」という共同所有の考え方が生まれます。しかし、個人が財産をもつとなると、いろいろな制約がありました。

労働が加わると所有権が発生

私的所有権を正当化する考え方は、17世紀頃に生まれます。人間の体は、その人のもの。ならば、体を使う労働も、その人のもの。自然界にあるものも、そこに労働が加われば、新しい価値が生まれ、労働した人のものになる、という考え方です。

ただし、無制限に私的所有を許してしまうことには問題があります。例えば、川を個人が所有すると、ほかの人が水を飲めなくなってしまいます。あくまで人々の合意が得られるものでなくてはなりません。

しかし、20世紀以降の資本主義は、あらゆるものに値段をつけ、市場で売買しています。タダであるはずの水まで、いまでは商品化されているのがその一例です。

VS 私たちを生かしてくれる自然が
あなたのものだということが、理解できません

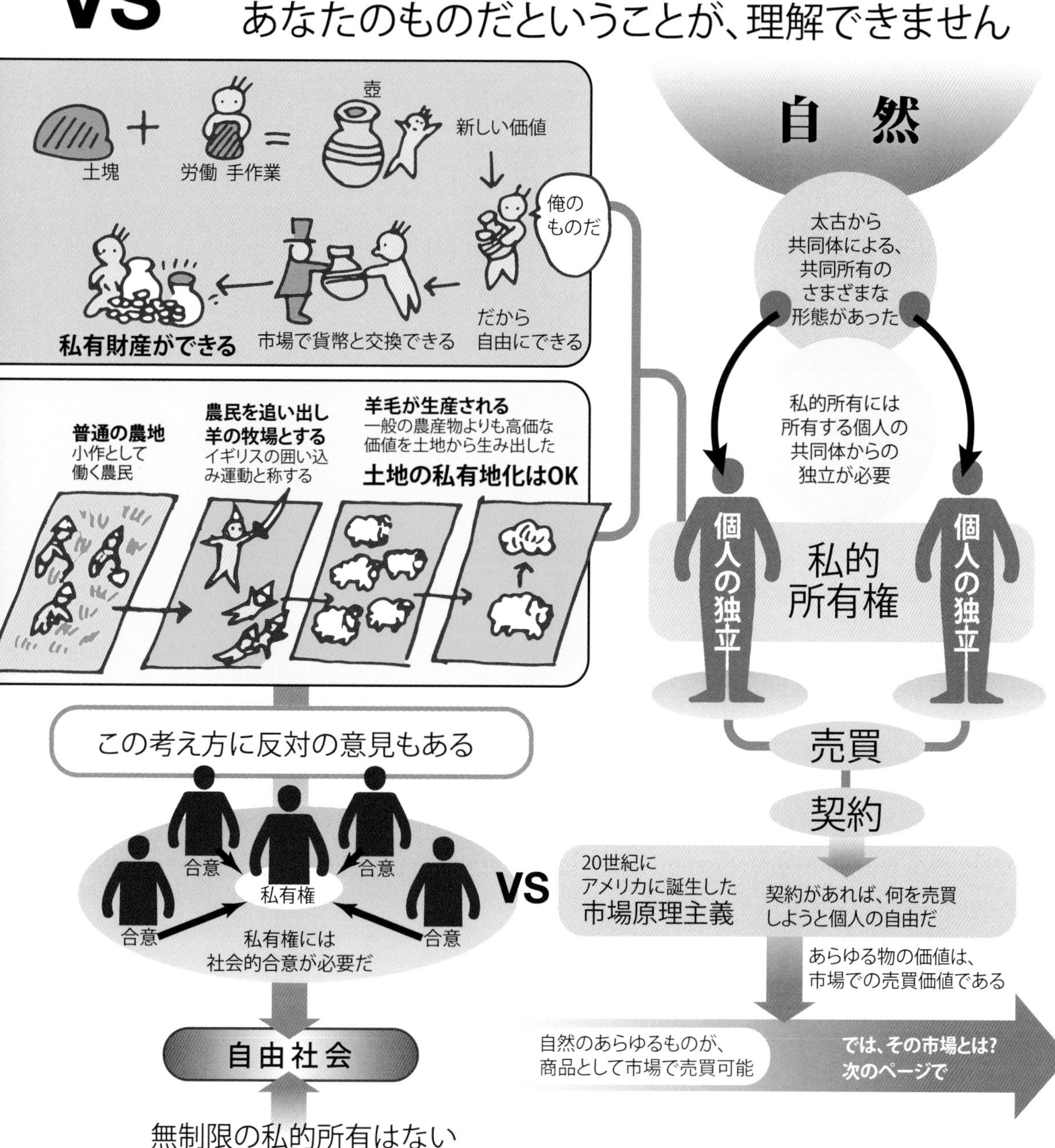

市場と自由
需要と供給を調整する市場原理

自由に任せれば市場は回る

資本主義経済は、市場を中心に動いています。市場とは、物やサービスが取引される場のこと。生鮮食料品を扱う卸売市場から、株を売買する株式市場まで、いろいろな市場がありますが、しくみは同じです。

市場では、需要と供給の関係によって、価格が決まります。品物の数（供給量）と求められる数（需要量）が等しければ、ちょうどいい価格で折り合いがつきます。しかし、品物が少なく、買いたい人が多いと、価格は上がります。逆に品物が多く、買いたい人が少ないと、価格は安くなります。

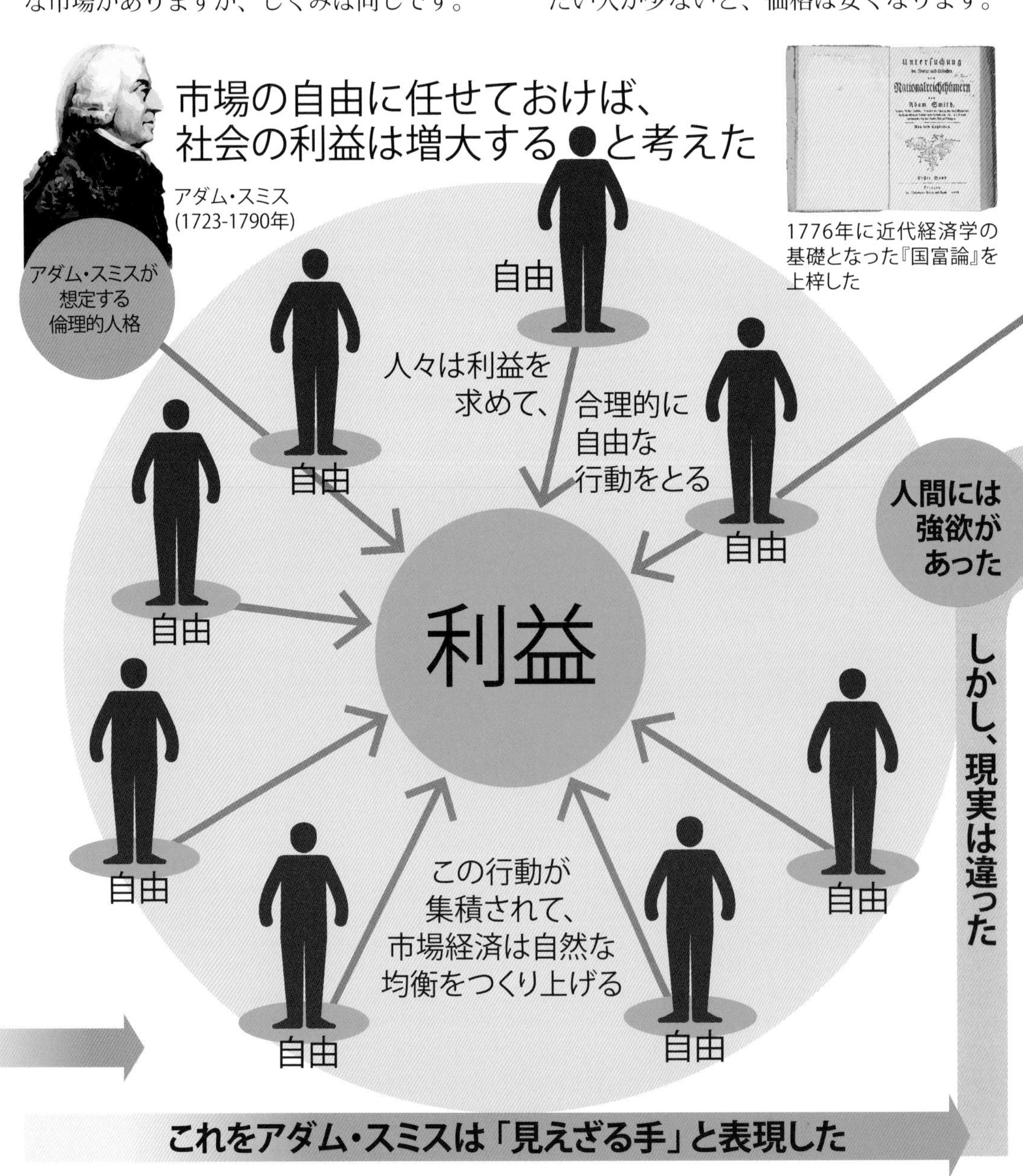

こうして価格が決まると、今度はその価格によって、需要と供給が調整されていきます。高い価格がつくと、高くても買いたい人がいるなら、もっとつくろう、と供給量を増やすようになり、価格が安いと、自然に供給量を減らすようになります。このように、買い手も売り手も、自分の利益のために自由に取引しているのに、全体ではうまくバランスがとれるのです。これを「市場原理」といい、18世紀の経済学者スミスは「見えざる手」と表現しました。

誰かの自由は誰かの不自由

しかし、市場経済の基盤になっている「自由」は、利益のためなら何をしてもいい、という自分勝手な考えを生み出すことがあります。植民地時代には、先住民から土地や財産を奪ったり、奴隷として働かせるために人間を売買したりしていました。

現代においても、市場の自由に任せてしまうと、弱者は競争に勝てず、経済格差が拡大してしまうことが指摘されています。

市場を機能させるために生まれたもの

① **貨　幣**　詳しくは p23
② **両替商**　詳しくは p25
③ **金融業**　詳しくは p40

この強欲の歴史がある

暴力で奪うのも自由だ。スペインの南アメリカでの虐殺と略奪

旗を立てれば自分の土地だ。列強の植民地獲得

邪魔するものは排除すればいい。アメリカ開拓と先住民の抹殺

人々は自己の利益の最大化を求める　**利益とは？**

アダム・スミスにとって資本主義の前提が自由。その自由とは

人間だって商品だ。奴隷貿易と強欲資本主義

人間の時間だって商品だ。資本主義の搾取のメカニズム

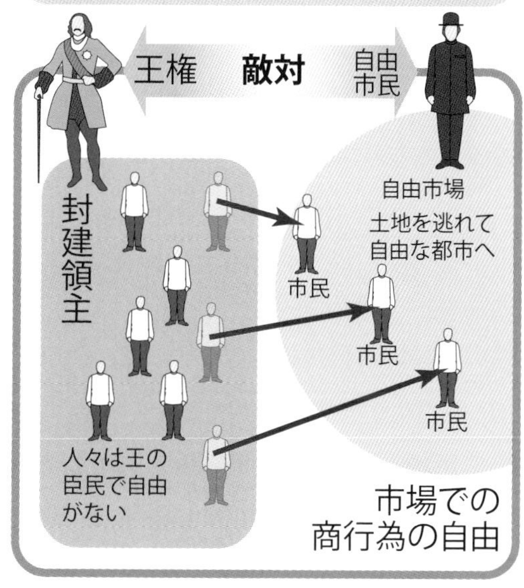

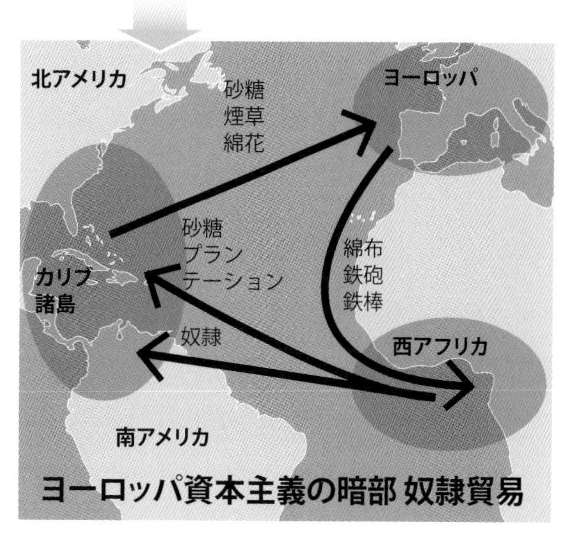

ヨーロッパ資本主義の暗部 奴隷貿易

資本と利益
お金を出す人と働く人

資本だけでは儲からない

資本主義の基本は、資本をもとにして、利益を上げていくことにあります。資本とは、事業などを始めるために必要な元手のこと。では、資本は、どのようにして利益を生み出していくのでしょう。

A君は、ラーメン店の会社を始めることにしました。そのためには、資本金が必要です。A君は、自分の貯金を資本金にあてることにしました。株式会社をつくると、A君が出した資本金は、個人の資産から切り離されて、会社のものになります。

さて、この資本をもとに会社を始めたA君ですが、ひとりで店を切り盛りしているので、思ったほど利益が上がりません。もっと効率よく儲けるには、どうしたらよいのでしょう？

働く人が資本家を支える

ひとつは、将来性のある会社に出資して、株主になることです。そこでA君は、友人のB君が始める会社に資金を出すことにしました。B君の会社が軌道にのって、利益を上げるようになれば、A君は株主利益として、配当を得ることができます。

もうひとつの方法は、事業を拡大して、従業員を雇うことです。A君は、銀行からお金を借りて麺工場をつくり、何人もの従業員を雇いました。工場が製造する麺は、評判もよく、売り上げから必要経費や人件費を差し引いても、十分な利益が出るようになりました。そこから銀行に借りたお金を返し、A君は、経営者利益として、十分な報酬を得られるようになりました。

資産と資本について

個人(法人)が
所有する蓄積
された財産

個人(法人)が
出資する収益
事業の原資

A君
資産
資本
利益
出資

僕が
出そうか

A君

会社を
始めたいが
資金がないよ

B君
資産
資本
出資
B君からの
配当

そこでA君は考えた

ラーメンが人気で、
ラーメン店が増える
麺の需要が高まる

A君

麺を製造卸すれば
もっと儲かる
でも、工場建設の
資金が足りない

そこで、A君がラーメンの麺工場

さて、この2つの例で実際に利益を生んでいるのは誰でしょう？ B君の会社の利益は、B君の働きによるものです。工場で麺をつくっているのは、従業員たちです。つまりA君は、資本（株式や工場）をもっているだけで、ほかの人たちの労働から生まれた利益の一部を得ているわけです。これが、資本主義の「搾取」の構造と呼ばれるものです。

それが例えば、ラーメン店の経営だったとすると

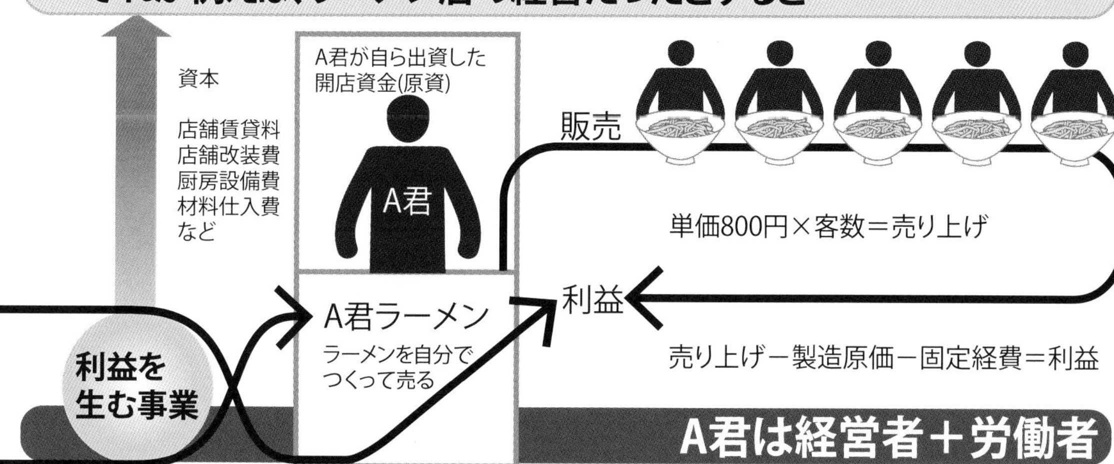

A君は経営者＋労働者

それが例えば、ラーメン店を始めるB君への出資だとすると

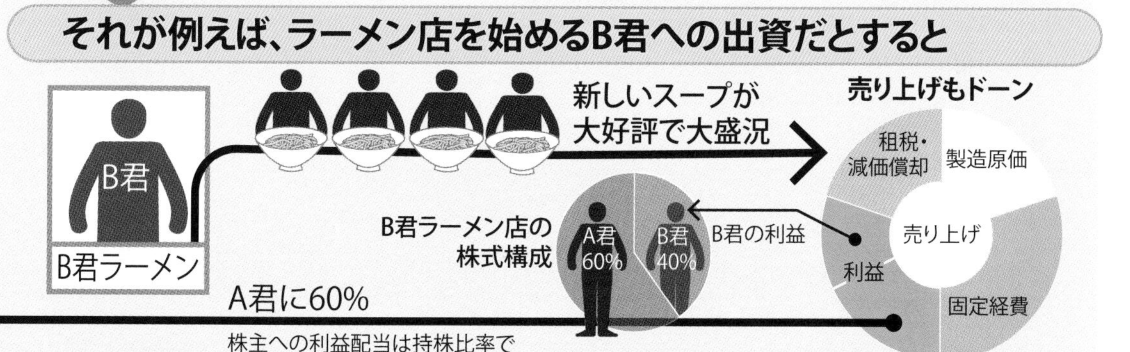

資金を提供してを利益を上げているから **A君は株主**

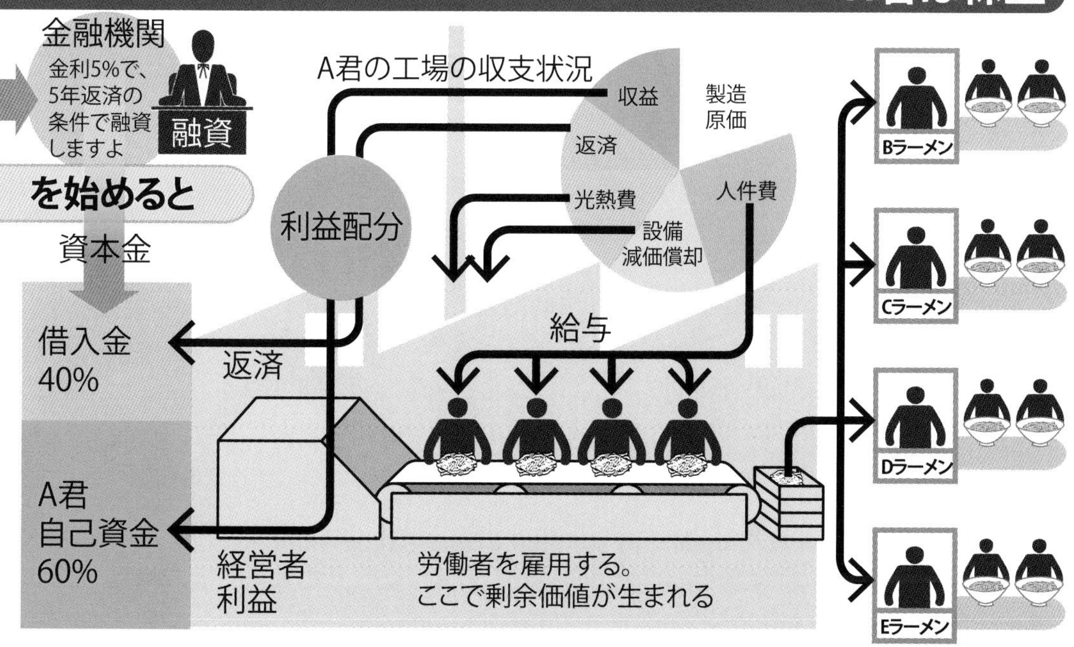

工場という資本(生産手段)をもち、
従業員を雇用して製品を製造販売して収益を得ているから **A君は資本家**

金融の信用創造
想像のお金が増えていくしくみ

金商人が考えたお金の増やし方

銀行業務の原型をつくったのは、17世紀のイギリスの金（きん）商人たちだったといわれています。彼らは、裕福（ゆうふく）な商人たちから金を預かり、金庫に保管して保管料を得ていました。そのうちに、預けられたままの金をもとに、貸付（かしつけ）を始めるようになります。それも、現物の金ではなく、証書を発行し、返してもらうときには手数料をとりました。

つまり、架空（かくう）のお金を貸し、金利をとって儲（もう）けたのです。それができたのも、人々が証書を信用したからでした。このように、貸付によって、世の中に出回るお金が増え

ていくことを「信用創造」といいます。

貸付で増えていく架空のお金

信用創造は、私たちの身近なところで行われています。私たちは通帳の数字を見て、その金額のお金が銀行にあると思いがちですが、そうではありません。銀行は、預かったお金（本源的預金）のうち、一定額を除いて、ほとんどを貸付に回します。

下の図のように、A社の預金1,000万円のうち、9割をB社に貸すとします。銀行は、B社の口座に900万振り込みます。A社の口座残高は1,000万円のまま、B社の口座には900万円、合わせて1,900万円。なんと数字の上では、お金が増えています。さらに銀行は、B社の900万円のうち、9割を貸付に回します。これを繰り返すと、A社の1,000万円をもとにして、何千万円ものお金が貸し出されることになり、そのたびに銀行は金利を得ます。

このように、信用創造によって、無限にお金がつくり出されているのです。

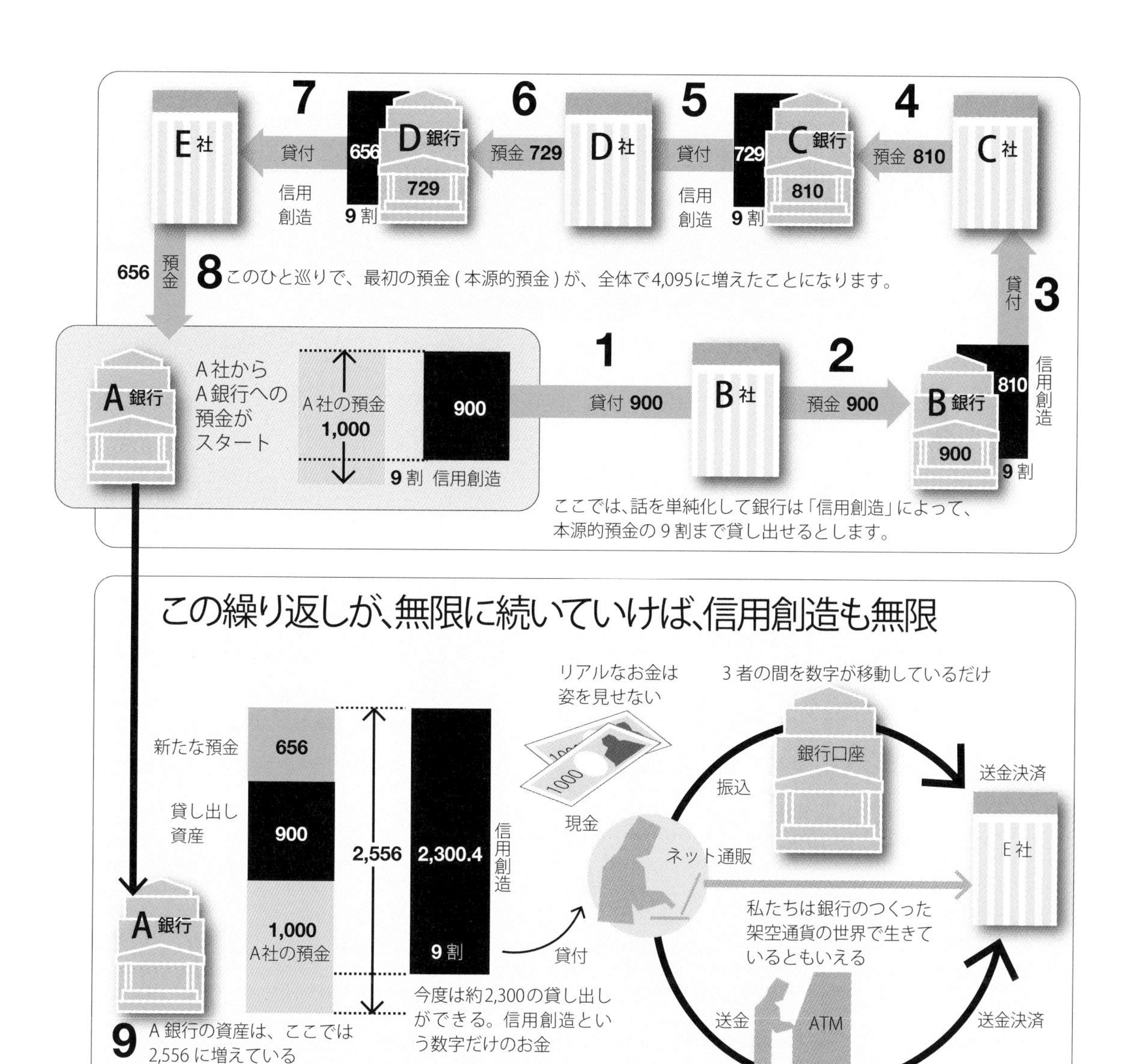

この「信用創造と金利」が資本主義の裏のシステムだ

金利と成長
お金がお金を生むからくり

資本主義にとって金利は生きるための空気のようなもの

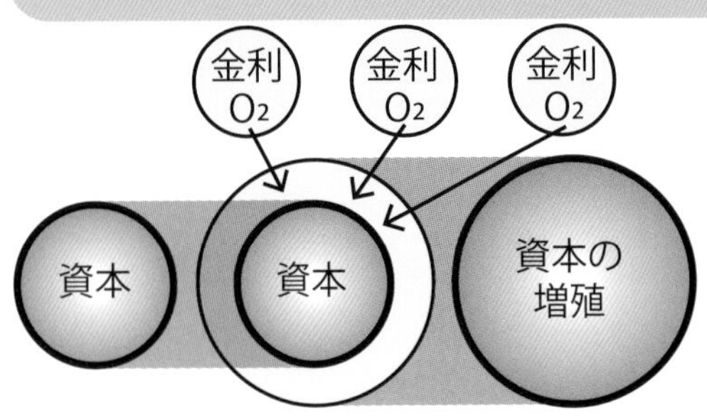

金利
金利
資本
資本
資本

この資本が
最大の利益を生む
ために考えられたのが
複利のシステム

元本の金額に
金利が合算され、
その合計に金利が
かかり続ける

古代メソポタミアでも金利はあった

倉庫
麦 麦 麦
銀
神殿への返済は
銀で支払った
神殿倉庫から
麦を借りる
このときの金利は20%
麦
麦
麦
最古の粘土板の文字は、
麦の借用書だった

日本の古代にも「出挙」という金利があった

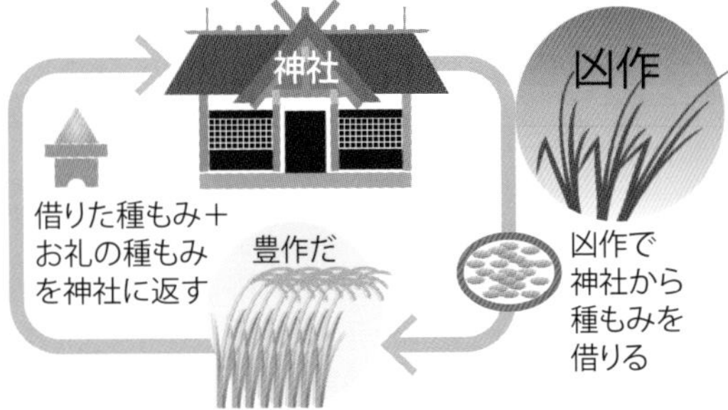

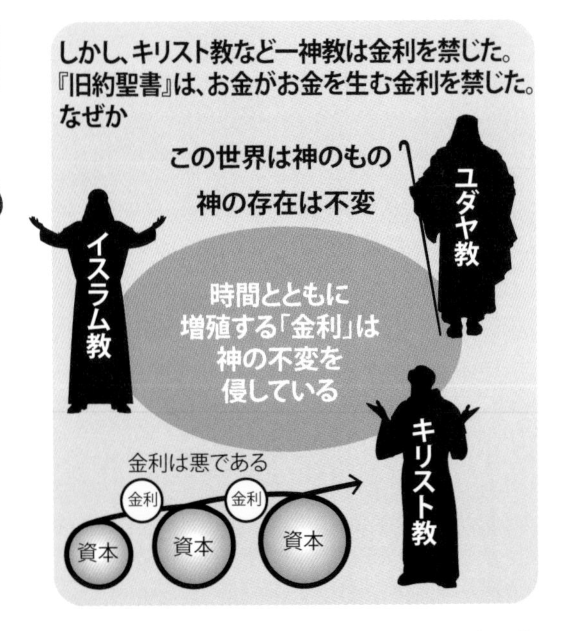

金利の成り立ち

前項で見たように、銀行は、信用創造によってお金を貸し、金利をとることで、収入を得ています。金利とは、お金の賃貸料のこと。利息、利子ともいいます。金利は、利率（元金に対する賃貸料の割合）を指すこともあり、一般には「年利」と呼ばれる１年単位の利率で示されます。

金利の歴史は古く、もともとは生物の繁殖がヒントになっています。麦の種を借りて植えれば、麦が育って増えます。羊を借りて育てれば、子羊が生まれます。増えた分を返せばいいので、貸した人も借りた人も損はしません。

このしくみを貨幣経済に当てはめたのが、金利の始まりです。すでにギリシア時代から、お金を貸して高い金利を得る高利貸しが存在していました。しかし、麦や羊が増えるのはわかりますが、お金が自然に増えるはずがありません。キリスト教も、金利は神の領域を侵す悪であるとして、中

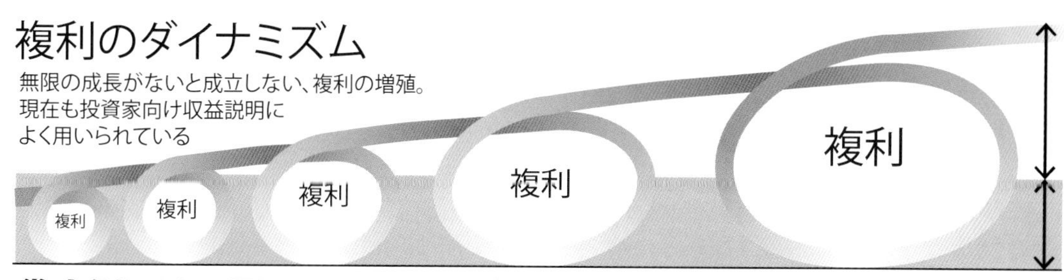

貸す側には天国のシステムVS借りる側には厳しいシステム

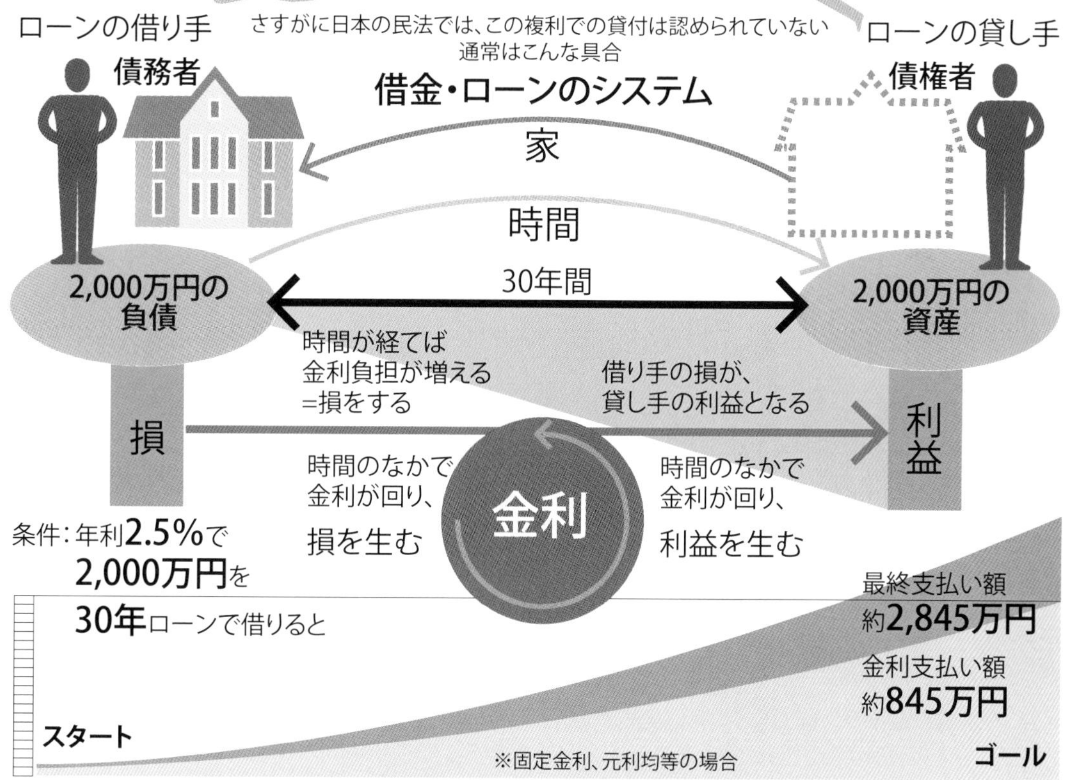

世まで禁止していたのですが、経済活動が盛んになると、容認するようになりました。

そして、この金利こそが、経済を無限に成長させる鍵として、資本主義を支えてきたのです。

金利が経済を回す

金利は、お金を貸す側から見れば、何もしなくてもお金が増える夢のようなシステムですが、借りる側から見れば、長く借りるほど返すお金が増えていく厳しいシステムです。上の図のような住宅ローンを組むと、多額の金利を払わなければなりません。しかし、お金が貯まるまで買えないものが、いますぐ手に入るのは、借金のメリットでもあります。企業であれば、銀行から資金を借りることで、すぐに事業を始め、利益を上げることができます。

このように、お金があるところから足りないところへ、融通することを「金融」といいます。銀行などの金融機関は、お金の橋渡しをすることで、金利を得るのです。

法人・株式会社 投資家のリスクからの安全地帯

破産するのは「法人」だけ

株式会社とは、「株式」と呼ばれる証書を発行して資金を集め、事業を行う会社のこと。資金を提供した投資家のことを「株主」といい、会社が利益を上げたときに、その一部をもらうことができます。株式会社は、資本主義経済の原動力として、いまでは欠かせないものですが、その原型は、大航海時代の商船貿易から生まれました。

17世紀、ヨーロッパの国々は、競い合ってアジア貿易に進出していました。航海には莫大な費用がかかるため、裕福な商人たちは、資金を出し合って船を調達し、貿易で利益が上がると、出資額に応じた分け前をもらっていました。

当時の航海は、難破や強奪のリスクが高く、5隻に1隻は戻ってきませんでした。そんなとき、誰が責任をとったらいいのでしょう？ そこで考え出されたのが、法律のなかだけの人格、「法人」です。法人が資金を集めて事業を起こしたことにすれば、もし船が沈んでも、破産するのは法人だけ。投資家は、出資金が戻らないだけで、それ以上の責任を追及される心配がありません。

オランダが生んだ株式会社

この「法人」の考え方を取り入れて、オランダで世界初の株式会社、オランダ東インド会社が設立されたのは、1602年のこと。じつは、その2年前に、イギリスも東インド会社を設立していましたが、正確な意味での株式会社ではありませんでした。それまでの商船貿易と同じく、1回の航海ごとに資金を募る方式だったからです。

オランダ東インド会社が画期的だったのは、リスクを分散するために、長期的な視野に立って資金調達をしたことです。1回ごとではなく、最初にまとまった額の資本金を募り、投資家たちに証書を配りました。これが株式の始まりです。この株式は、一般の投資家も買えましたし、ほかの人に譲渡することもできました。現在と同じ株式会社の形が、このとき完成したのです。

当時のオランダの商船隊は、鎖国の日本とも唯一貿易をする、世界最強の貿易国家だった

しかし、
商船貿易はハイリスク事業。20%の船が戻ってこなかったといわれる。その船に投資した人間は破産した

17世紀に競って株式会社が設立された

オランダ東インド会社
1602年設立
1609年に日本の
平戸に商館を置く
1799年に解散

イギリス東インド会社
1600年設立
1709年に再建される
1858年に解散

フランス東インド会社
1604年設立
一度活動停止
1664年に再設立
1790年に解散

法人が船を用意して、船長(社長)を選び、
船員(社員)を雇い、アジア貿易に船出した

この法人が株式会社

法律の概念
バーチャルな人格
法律のなかで活躍する人格

この法人が投資家から出資金を集めて
出資証明書として株券を渡した

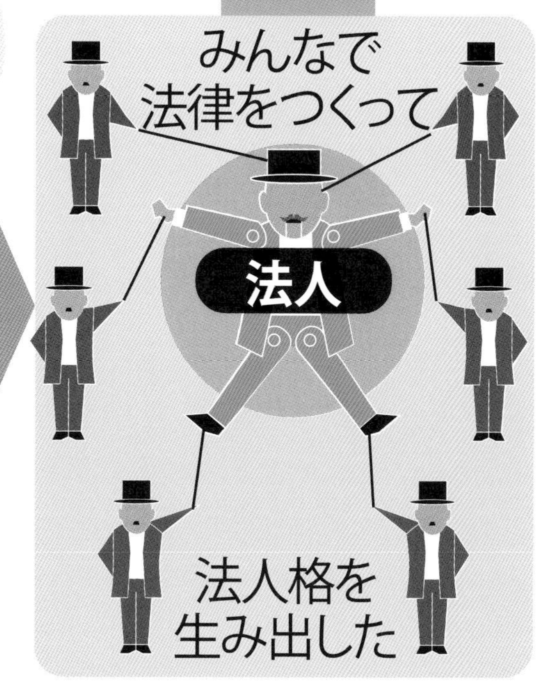

革新・イノベーション
資本主義が生み出す新しい価値

5つのイノベーション

18世紀後半の産業革命以来、人類は、さまざまな発見や発明によって、急速な進歩を遂げてきました。世界を激変させるような道具や素材、サービスの登場を促したのは、資本主義がもつ潜在的な力でした。

20世紀を代表する経済学者シュンペーターは、資本主義経済を発展させるのは、創造的破壊であり、「イノベーション（革新）」であると提唱しました。イノベーションとは、従来と違う方法や考え方を取り入れて、新しい価値を生み出すこと。具体例として、シュンペーターは、下に示したように、

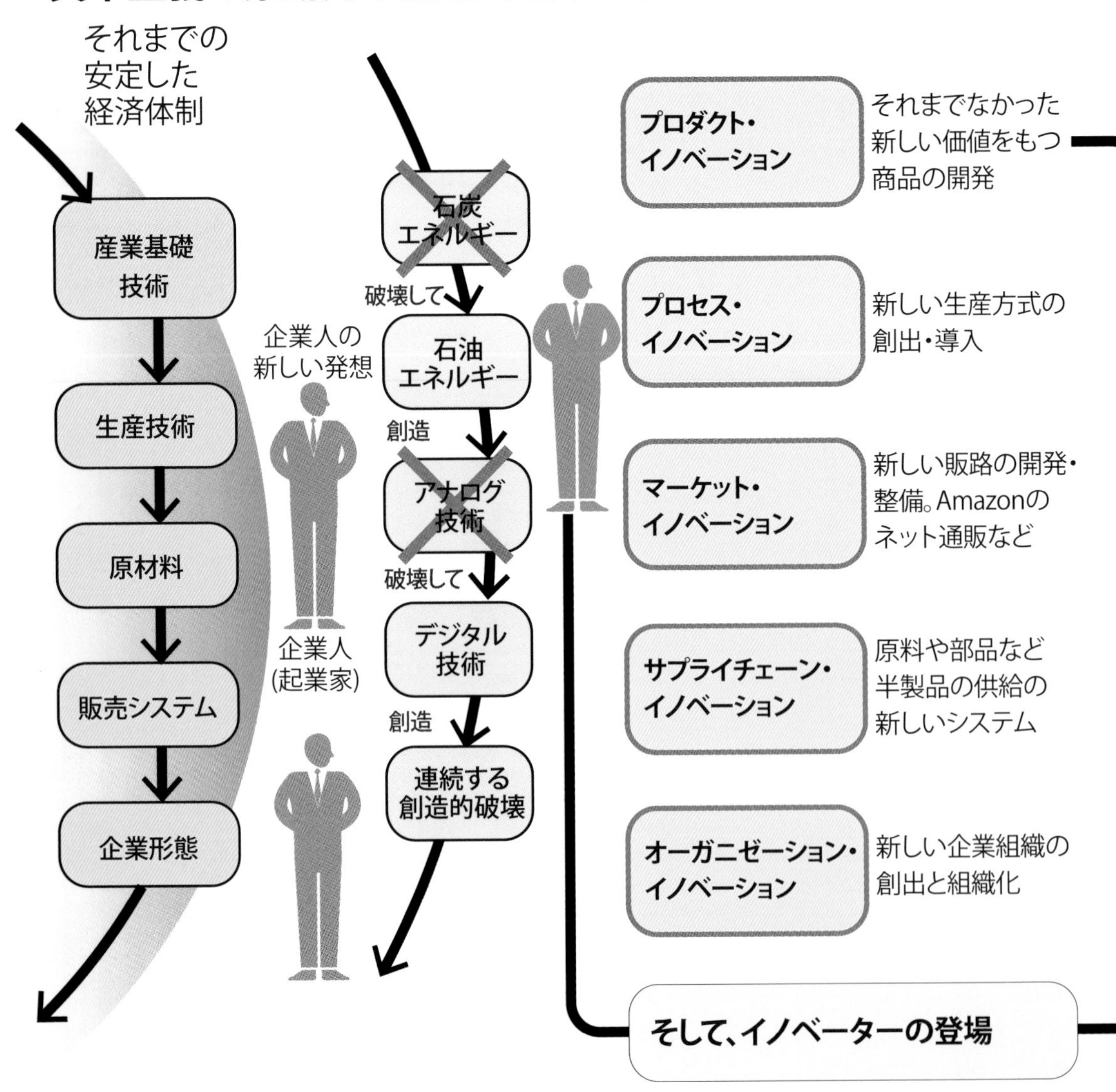

商品、生産方法、販路、原料、組織を変革する５つのイノベーションを挙げています。

新しい発想が時代をつくる

このうち、私たち消費者がよく知るのは、「プロダクト・イノベーション」によって生まれた新商品です。例えば、日本の電子機器メーカーは、小型化と高性能を武器に、画期的商品を次々と生み出し、世界市場を席巻して一時代を築きました。

しかし、たった１台でいくつもの機能をもつスマートフォンがアメリカで誕生すると、日本のメーカーは、力を失います。スマホという商品とさまざまなサービスを結びつけ、新たな市場を生み出した「マーケット・イノベーション」の勝利でした。

斬新なイノベーションがあれば、小さな企業にも成功のチャンスがあるのは、資本主義のよさといえます。しかし、成功した企業があまりに巨大化すると、ほかの企業は太刀打ちできず、新たなイノベーションが生まれにくくなる恐れもあります。

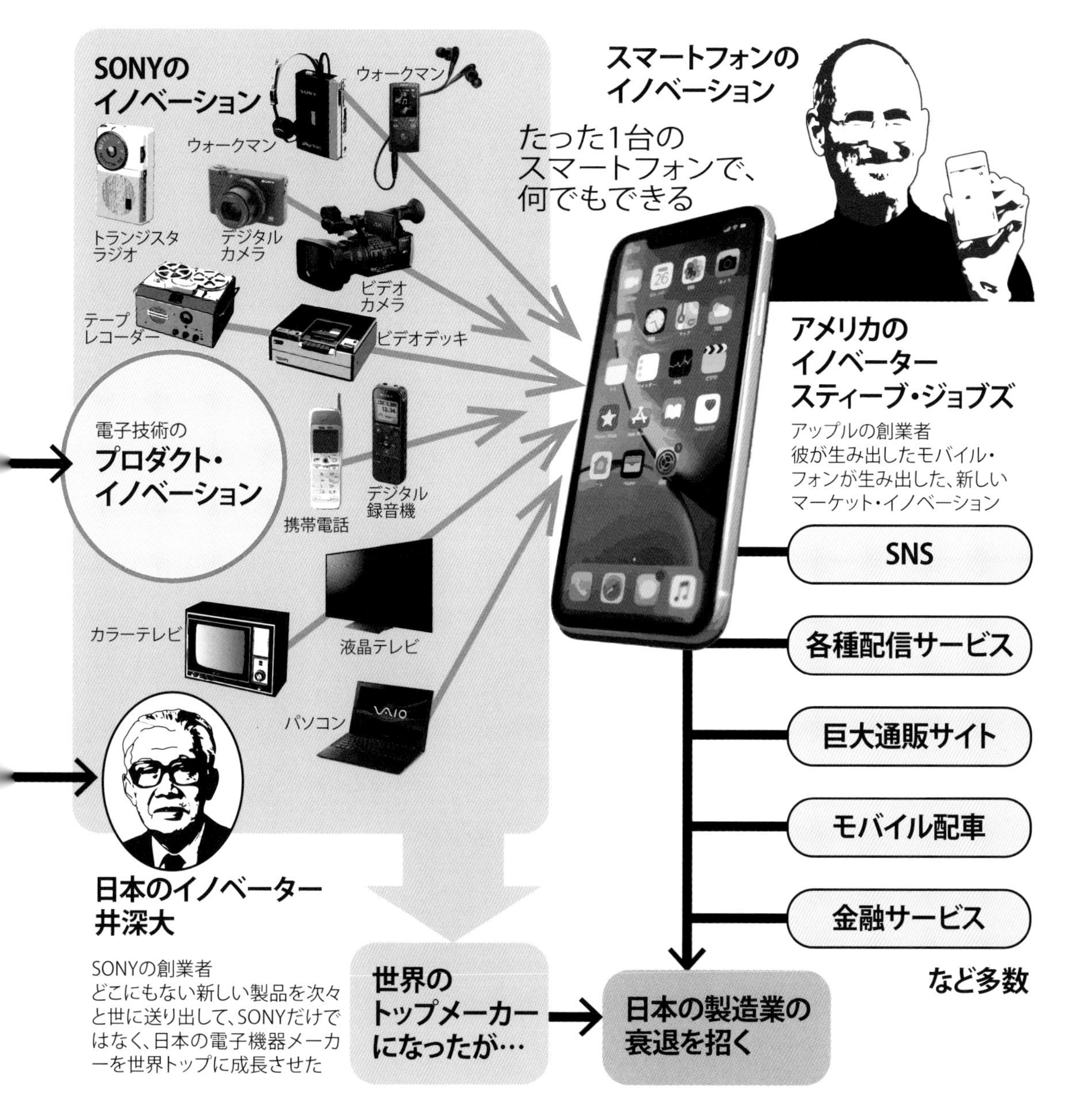

資本主義の精神
労働による利益は神の救い

始まりはキリスト教の分裂

資本主義の考え方には、宗教改革が生んだキリスト教の一派、カルヴァン派の教えが反映されている、といわれています。

もともとキリスト教は、お金儲けや金利を禁じる宗教でした。しかし、中世のカトリック教会は、いろいろな抜け道を見つけては、莫大な富を蓄えるようになります。これに反発した人々が、16世紀に起こしたのが宗教改革です。

カトリック教会から分離して、新しい宗派がいくつも生まれ、それらは「プロテスタント（抗議する者）」と呼ばれました。

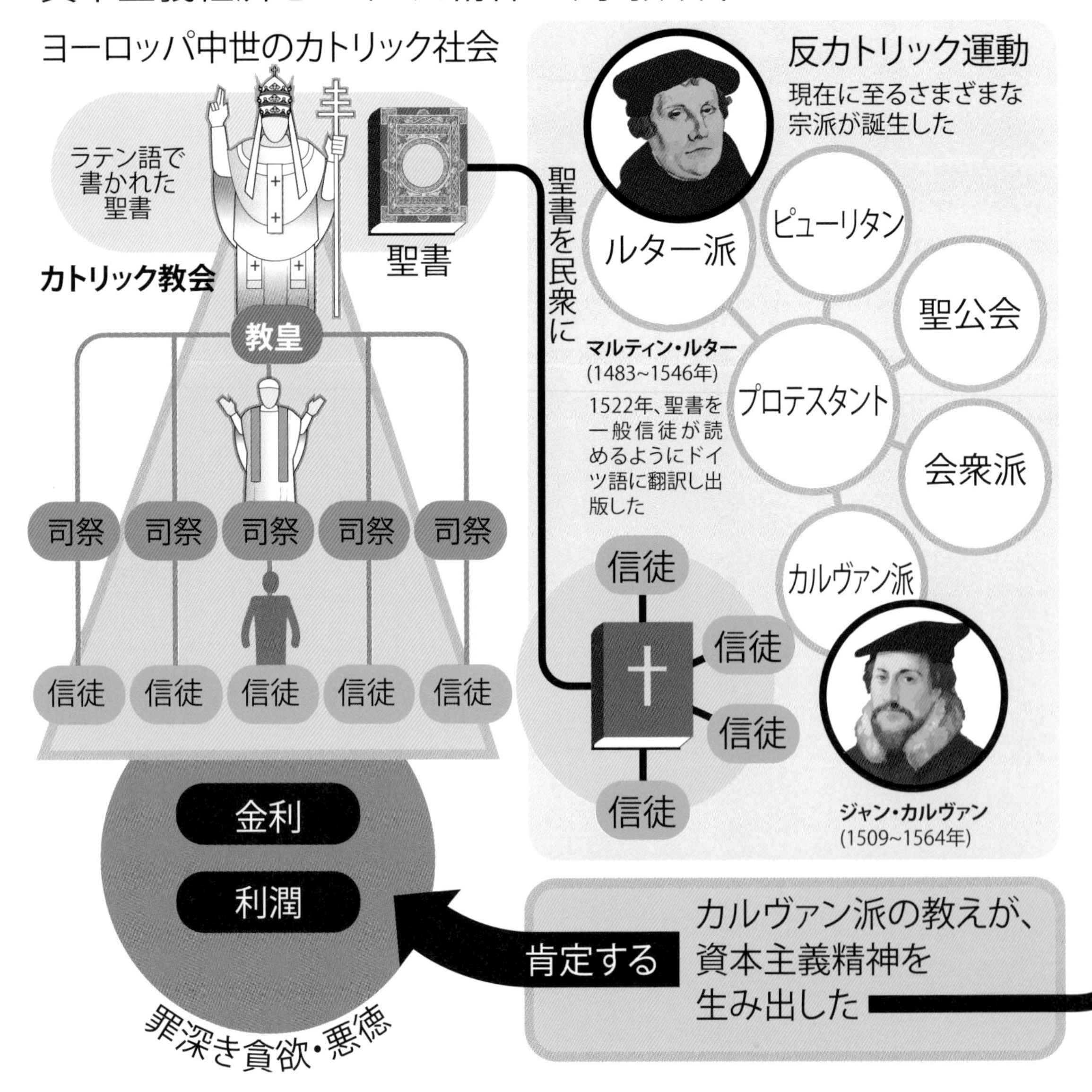

そのうちの一派が、スイスのジュネーヴを拠点としたカルヴァン派です。

利益を正当化したカルヴァン派

カルヴァン派を興したカルヴァンの教えは、勤勉、禁欲、節約を重んじる厳格なものでした。それがなぜ、利益を追求する資本主義に結びついたのでしょう？

カルヴァンは、神から与えられた仕事に励めば天国に行ける、と労働の大切さを説きました。さらに、一生懸命働いて人の役に立ち、その結果、お金が貯まるのは、貪欲な罪ではなく、むしろ義務である、と利益の追求を認めたのです。

カルヴァンの教えは、オランダ、イギリス、そしてアメリカへと広まっていきました。そして、これらの国々で、資本主義が芽生え、発展していきます。

利益を追求するのは、自分の欲のためではなく、真面目に働いて、神の救いを得るためである。もともとは、これが、資本主義を生み出した精神だったのです。

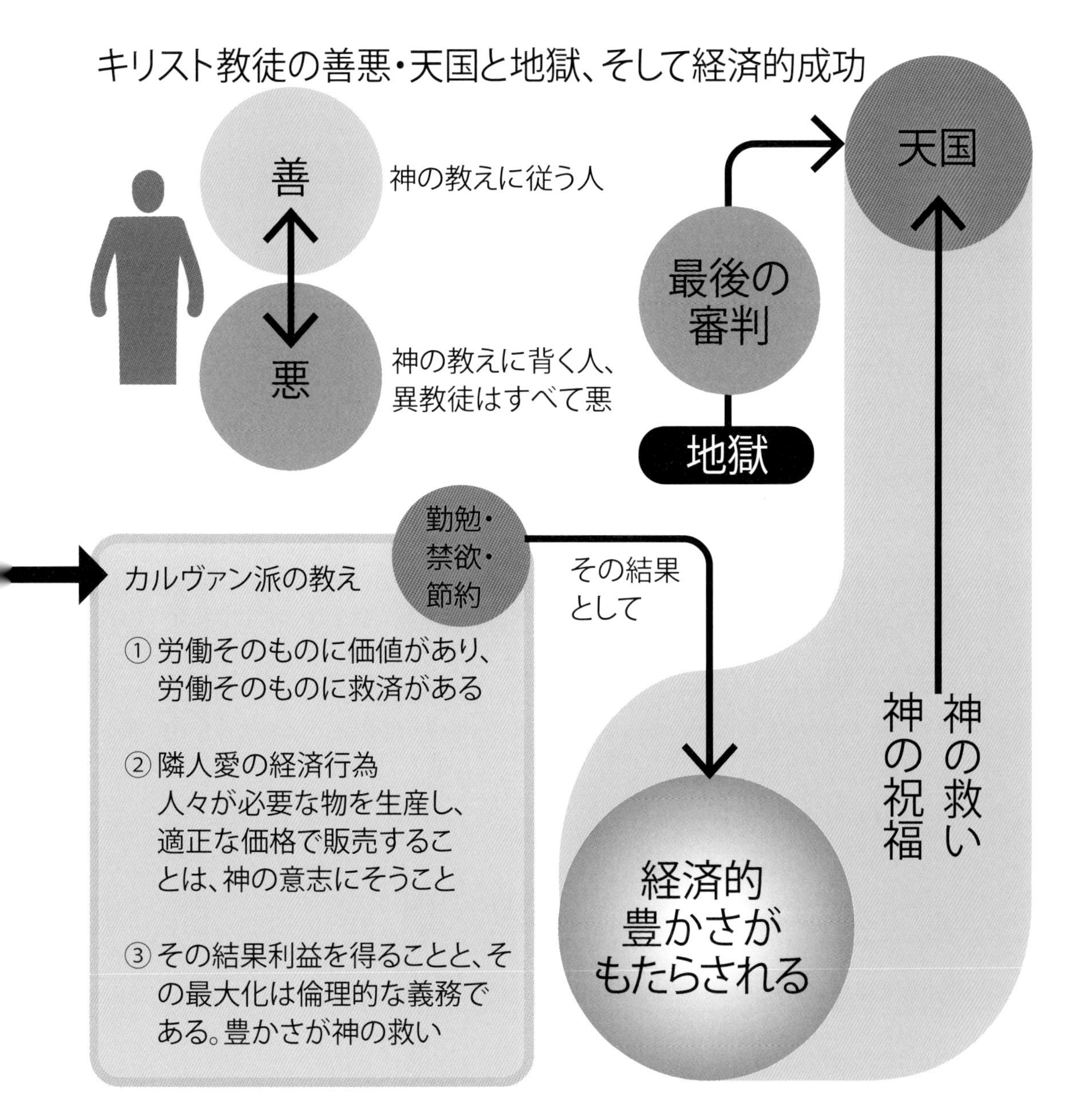

資本主義の問題を社会的共通資本という視点で考えよう

資本主義のもつ大きな欠陥

宇沢弘文という日本人の経済学者がいました。1928年に生まれ、2014年に86歳で亡くなりました。この経済学者宇沢さんの評伝のタイトルが『資本主義と闘った男』。宇沢さんの経済学者としての軌跡は、このタイトル通り、フリードマンに代表される、アメリカの新自由主義経済との闘いでした。

宇沢さんは、若くして経済学者としての才能を開花させ、1964年、35歳で経済学の分野では世界最高峰のシカゴ大学に招かれ、指導教授として活躍します。当時主流の経済学は「新古典派経済学」と呼ばれ、経済の動きを数理モデルに置き換えて、数学的に証明することでした。宇沢さんはこの分野で世界的な名声を獲得したのです。

そんな宇沢さんが、あることをきっかけにシカゴ大学を去ります。この事情は後述しますが、そこには台頭するフリードマンの市場原理主義との確執がありました。

日本に帰国し、東京大学の教授となった宇沢さんが見たのは、公害や成田空港闘争などで荒れていた時代の日本でした。経済学者として水俣病の解決に尽力し、成田闘争では調停役を担いました。この過程で、宇沢さんは自分が信奉していた資本主義の欠陥を目の当たりにしたのです。

これ以降、経済学者としての宇沢さんが、長い沈黙の時をへて、その晩年に発表したのが、「社会的共通資本」の経済学でした。

これから、この宇沢さん独自の経済論である「社会的共通資本」を軸に、資本主義のもつ欠陥を探っていきましょう。

宇沢さんは「社会的共通資本」を３つに分類して説明します。「自然環境資本」「社会インフラ資本」「社会制度資本」です。この３つは、人間が豊かな社会生活を送るのに必須のものであり、フリードマンら新自由主義経済学者がいう市場経済のなかで、一般資本と同様に取引されるものではない。宇沢経済学は、ここからスタートします。

『資本主義と闘った男
宇沢弘文と経済学の世界』
（佐々木実著、講談社）

激動の20世紀経済学とともに生きた世界的経済学者86年の生涯をたどる

『社会的共通資本』
（宇沢弘文著、岩波書店）

農業、都市、教育、医療など、社会的共通資本のあるべき形を説く

宇沢経済学の基本「社会的共通資本」とは

人々が、豊かな経済生活を営み、すぐれた文化を展開し、人間的に魅力のある社会を持続的、安定的に維持することを可能にするような社会的装置

（1928～2014年）
宇沢弘文
数理経済学、
東京大学名誉教授

社会的共通資本の3つのジャンル

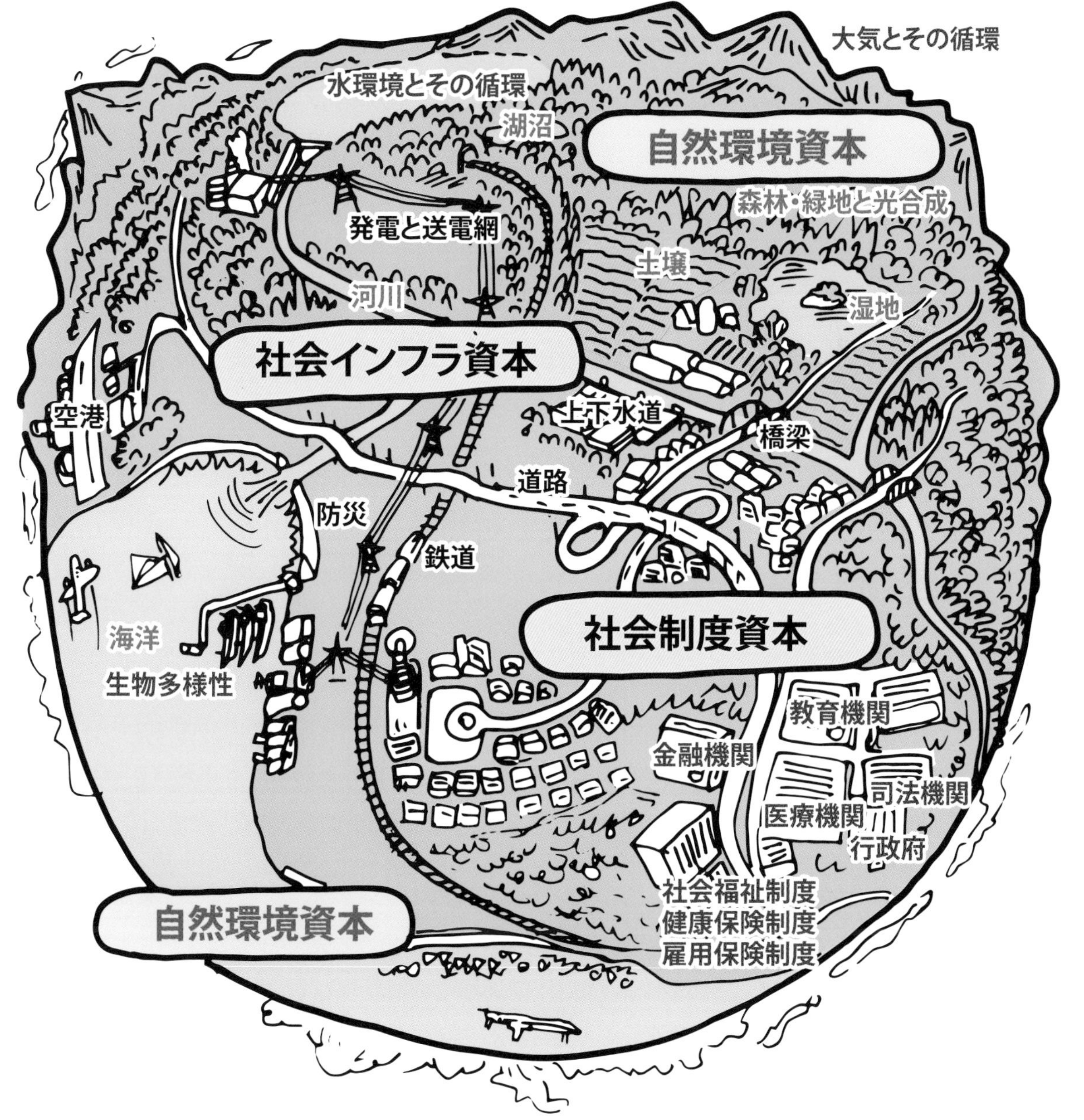

資本主義は自然環境を自由財として損なってきた

高度成長が生み落とした公害

日本の産業資本主義は、1960年から1970年までの10年間、平均10％のGNP（国民総生産）の成長を続けました。これが、戦後の高度経済成長期といわれるものです。さらに、1968年にはアメリカに次いで世界第２位の経済大国の地位にのぼりつめます。

しかし、この成長する資本主義は、その欠陥をむき出しにしてもいました。全国の都市の大気汚染、河川の水質汚染など、さまざまな公害を生み出していたのです。

特に悲惨な被害をもたらしたのが、九州の熊本県水俣市で発生した水俣病です。水俣湾周辺では、1953年頃から、運動障害や言語障害を伴い、重症化すると死に至る奇病が発生していました。この疾患は、新日本窒素肥料という会社が、製造工程で出るメチル水銀を水俣湾に排出したために起きた水銀中毒だったのです。

ポイント
企業活動の外部不経済

自然環境のよい場所に、例えば製紙工場が操業を始めた

その結果
大気中に有毒物質を含んだ煤煙を排出し
川などを自由に使い、有毒物質を含んだ廃液を垂れ流した

地元の人々は
公害で苦しみ

その結果
海も大気も汚染された

行政は
公害対策を行う

製紙工場は
この公害を無視して利益を上げ続けた

大気汚染の対策費

利益

海水汚染の対策費

外部化

外部化

犠牲者を出す経営は間違い

宇沢さんは、水俣の公害病を解決するために働きます。明らかな企業犯罪を告発するだけではなく、この企業の行為を経済学的に解明しようとしたのです。

企業が海や大気を自由に使い、社会的共通資本であるべき自然環境を汚染する。宇沢さんは、このような産業活動が、資本主義の経営として正当である、とする経済学のあり方を問題とします。自然環境をただ同然で使用し、廃棄物の処理費用を負担しないで自然界に廃棄し、その結果、公害病を発生させ、その保障も拒否する資本主義とは何かと問うたのです。

宇沢さんは、企業活動が社会全体に対して、直接・間接に被害を与えたとき、そこに「外部不経済」が存在すると考えました。外部不経済とは、経済活動の外側で発生する不利益のこと。本来は企業が負担すべき費用を無視して成立する資本主義は、間違っている、として、宇沢経済学は、現在の地球温暖化も、この資本主義の間違いの結果であることを立証しようとしました。

その結果社会的共通資本が
棄損されて、地球の気候にも
変動をきたした

『地球温暖化を考える』
（宇沢弘文著、岩波書店）

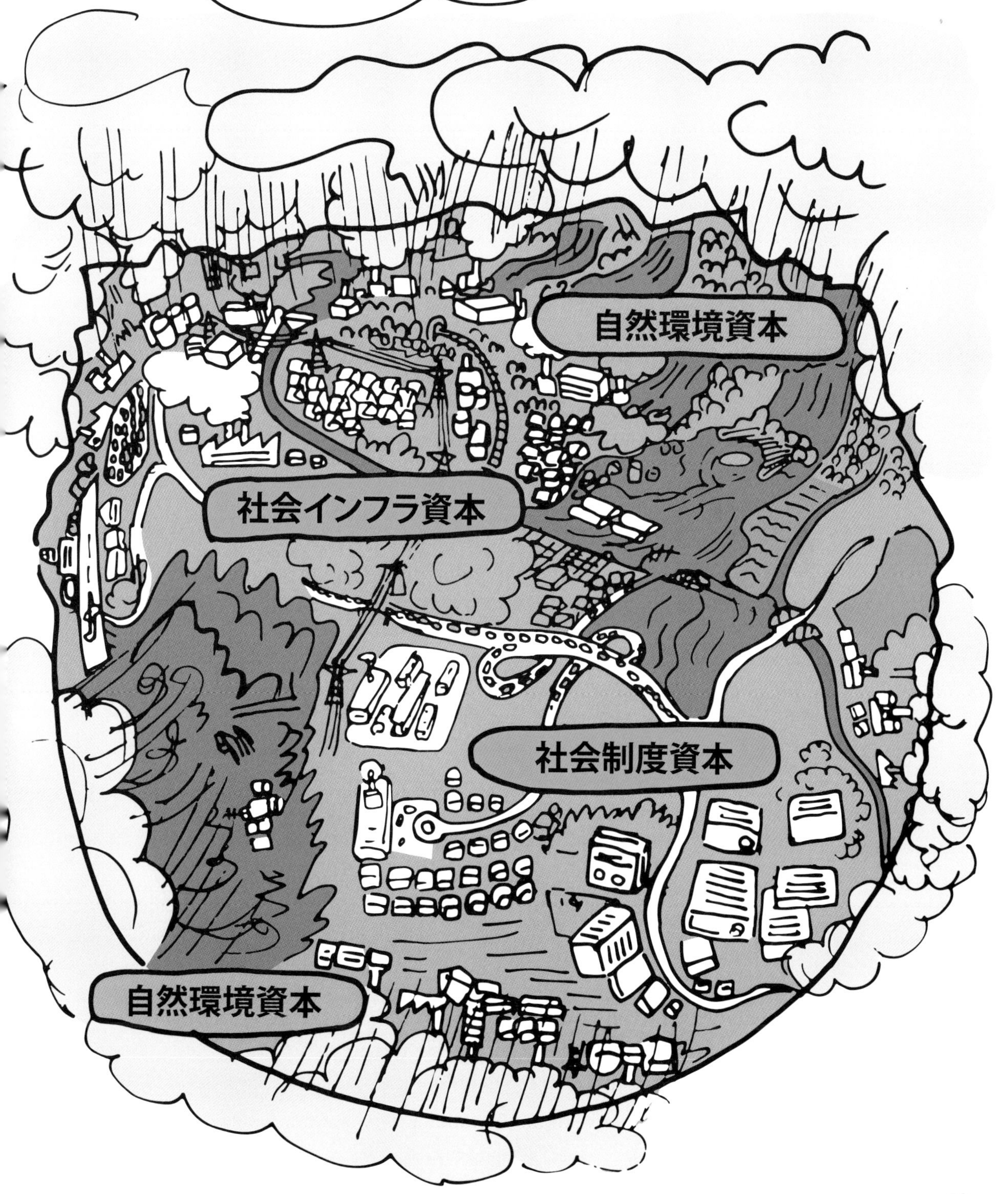

外部不経済を無視して日本の車社会は爆走した

莫大すぎる車の社会的費用

1974年に宇沢さんが出版した１冊の本が、ベストセラーとなり、大きな反響を呼びました。タイトルは『自動車の社会的費用』。宇沢さんが提唱する「社会的共通資本」を無視する資本主義の産業として、当時爆発的に増加していた自動車とそのためのインフラ事業を、資本主義の外部不経済の典型として論証した力作でした。

下図は同書を参考に、自動車を利用する際に発生する外部不経済を表したものです。自動車の生産、その燃料のガソリンの生産に際して発生する地球環境への負荷、車が走

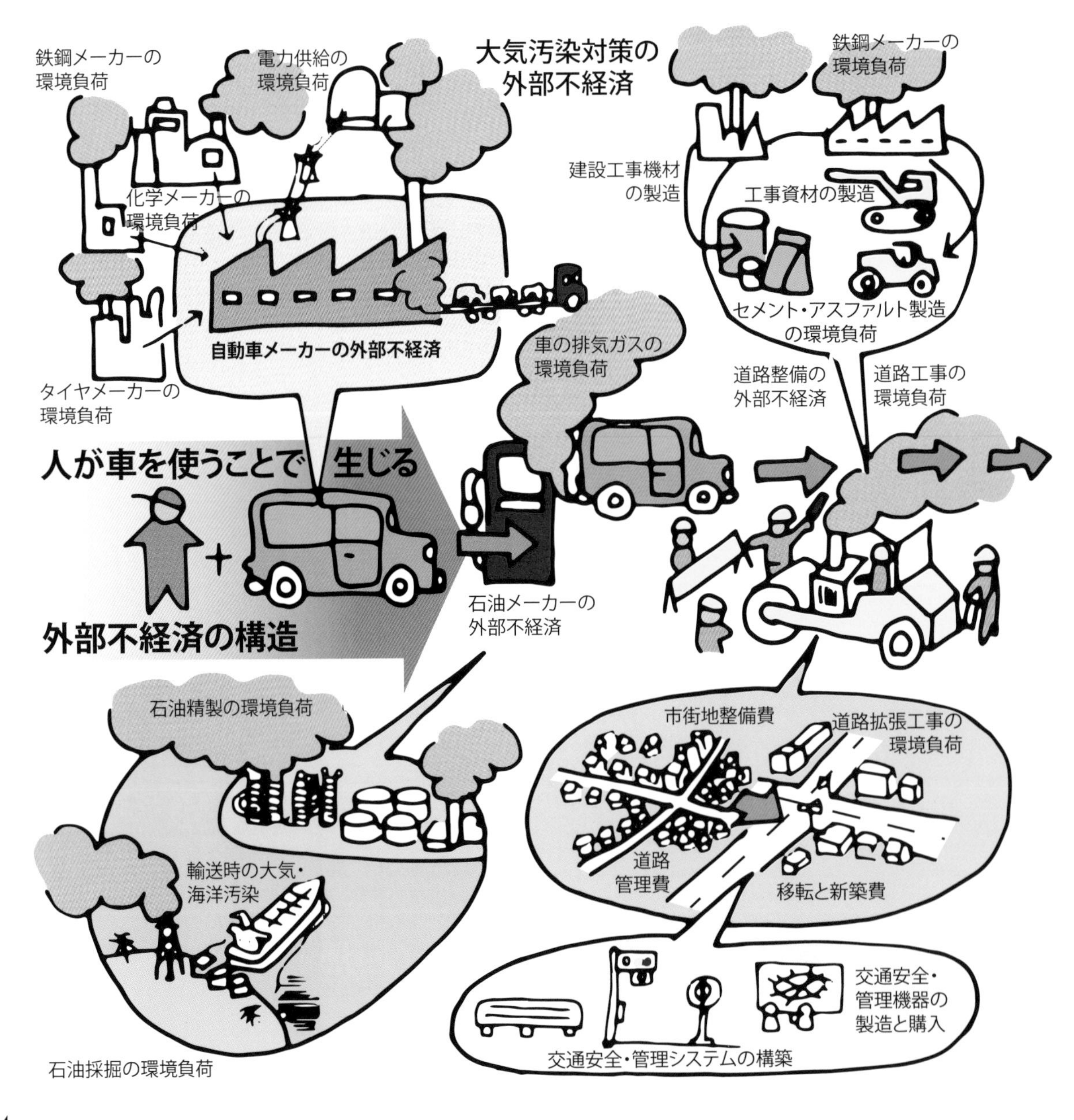

るためにつくられる道路整備のための社会インフラへの投資などが、次々と展開されていきます。宇沢さんは、この多くの外部不経済のうち、歩行者が安全に歩くために整備される施設の費用を選び出し、実際に見積もってその金額まで算定しました。

その結果、自動車１台当たり、この社会投資は1,200万円にものぼりました。もちろん現実には、自動車会社もドライバーも、こんな費用は負担していません。しかし、もしこの費用を税金として徴収するなら、１台当たり年間200万円の社会的費用税が必要でした。この検証結果は、当然自動車業界の猛烈な反発を招きました。

宇沢さんにとってこの著作は、社会的共通資本の経済学という、未開の世界へ突き進むための最初の松明となったのです。

『自動車の社会的費用』
（宇沢弘文著、岩波書店）

車社会のために発生する莫大な費用を算出し、世に一石を投じた名著

農業も社会的共通資本
工業との競争は間違いだった

人間本来の営みと工業の違い

宇沢さんが、社会的共通資本のひとつとして挙げるのが、農業です。ここでいう農業とは、畜産業、林業、水産業も含め、自然から直接資源を得る産業を指します。

日本の農業は、衰退しつつあります。その理由は、生産性の低い農業を続けるより、安い国から買ったほうが得、と輸入を推進してきたからです。資本主義が、農業にも利益の追求を求めた結果でした。

しかし、農業は、人間が生きるために必要な食料や、衣服、住居などをつくるための材料を生産してきた基本的な産業です。

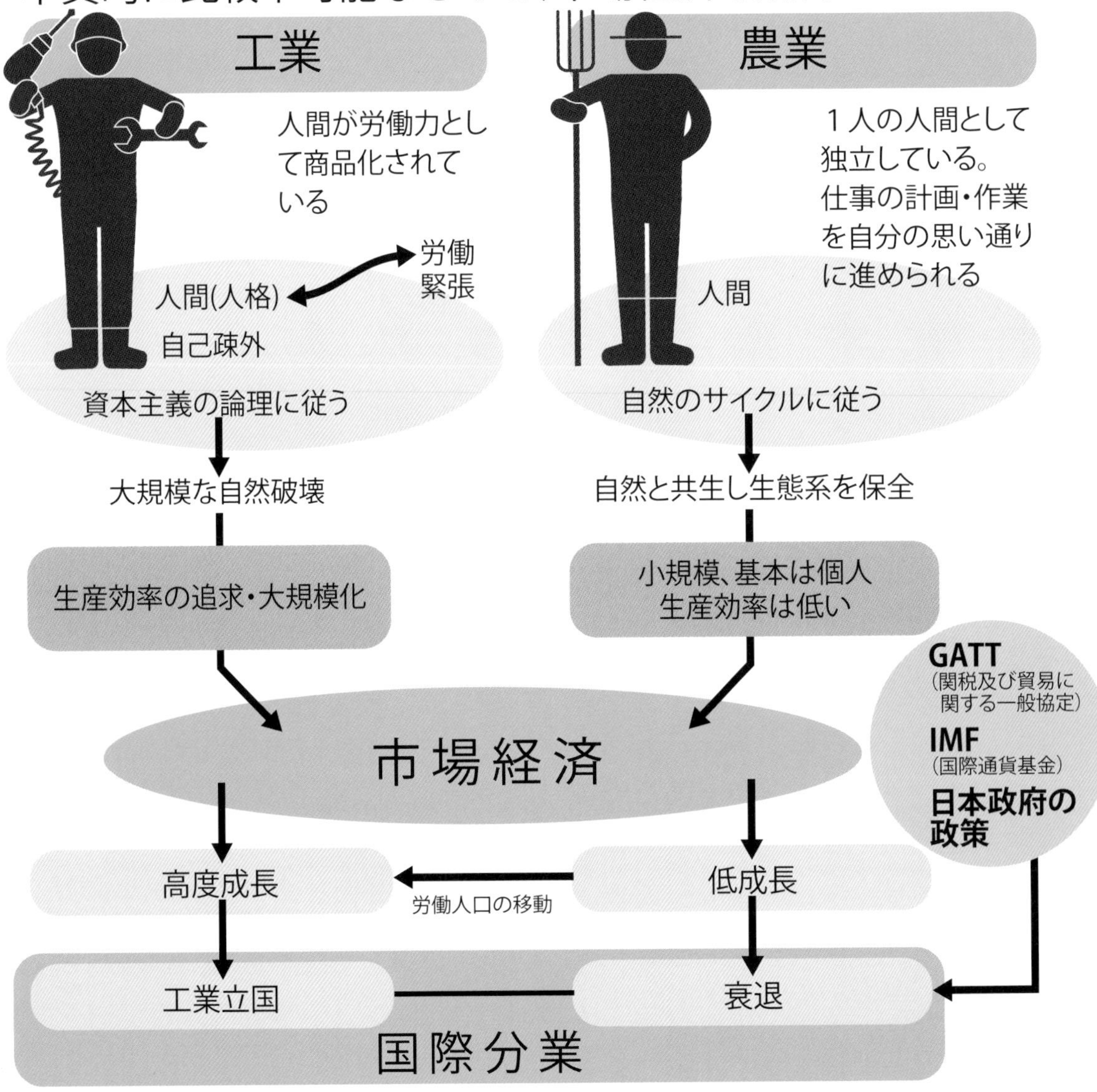

それを工業と同じように扱うのはおかしい、と宇沢さんは疑問を投げかけます。

コモンズによる持続可能農業

工業労働者が、上からの指示に従って働くのに対し、農業に携わる人は、独立した個人として、自分らしく仕事に取り組むことができます。自然と共生するなかで、さまざまな知恵や技を身につけ、工業のように環境や生態系を破壊することもありません。このような人間的な豊かさを生む農業を、社会的共通資本として守り、発展させていくにはどうしたらよいのでしょうか。その答えを、宇沢さんは、コモンズという村落共同体に見出しています。

農業を一戸ごとの経営単位ではなく、コモンズとしてとらえ、農作物の生産だけでなく、加工、販売、研究開発などを共同で行う。それによって安定した収入と文化的な暮らしを手に入れ、自然環境を保全することができれば、持続可能な農業を実現できる、と宇沢さんは考えたのです。

農業は個ではなく、農村というコモンズの営みでとらえる

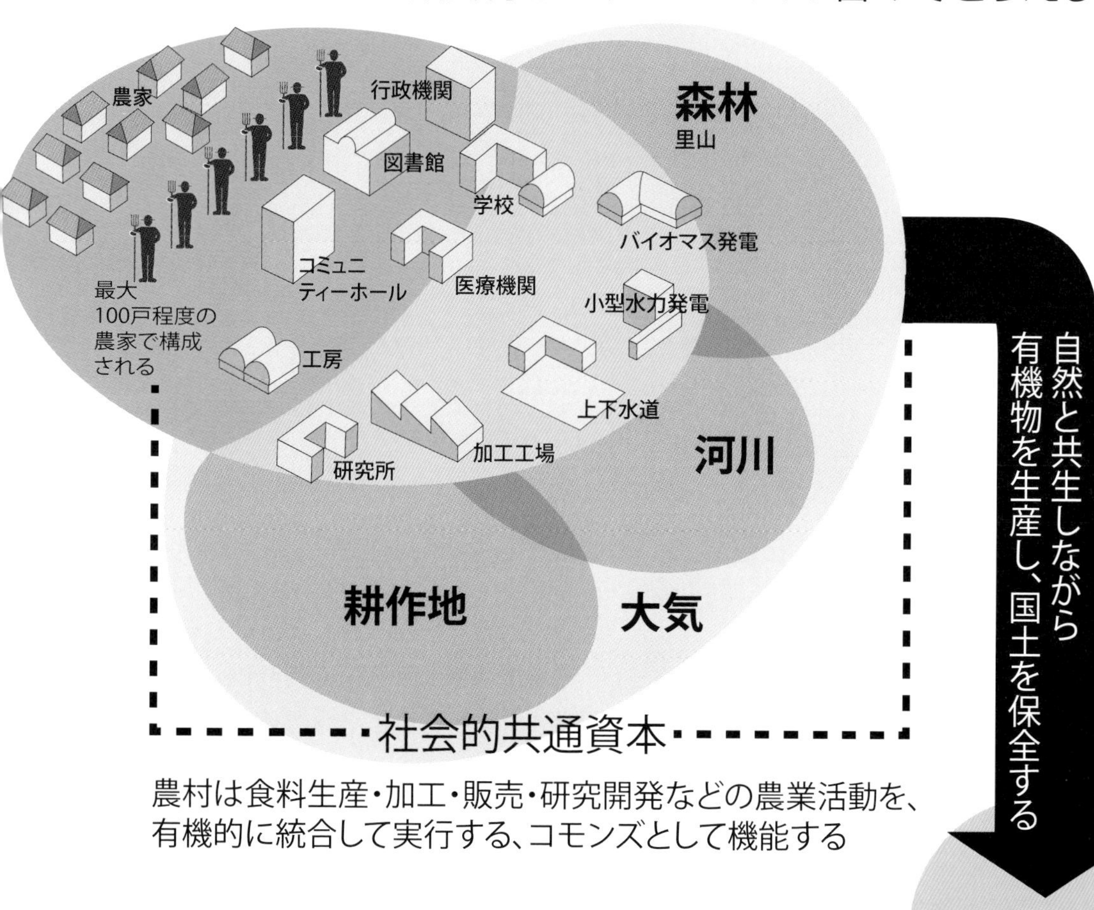

地球温暖化対策のための重要ステージが農村とその社会

教育という社会的共通資本が利益追求の手段になった

理想の学校教育とは

社会的共通資本の３分類のひとつ、制度資本のなかで、宇沢さんが特に重要だと指摘するのが、教育と医療です。ここではまず教育について見てみましょう。

教育とは、一人ひとりの子どもがもつ能力や個性を伸ばし、社会のなかで実り多い人生を送ることができるよう、手助けするものです。そのために、重要な役割を果たすのが、学校教育です。

宇沢さんは、アメリカの哲学者デューイの教育論に着目します。デューイは、学校教育に求められる機能として、右ページに示した３つの原則を挙げました。第1に、学校という場で、ほかの子どもたちと交わることで、社会人として成長できるよう促す「社会的統合」。第2に、育った環境にかかわらず、最高の教育が受けられるようにする「平等」。第３に、それぞれの子どもがもつ能力や資質を伸ばす「人格的発達」。この３大原則は、アメリカはもちろん、戦後日本の義務教育の基本理念ともなりました。

もうひとつ、宇沢さんが着目したのは、経済学者ヴェブレンの大学論です。大学は、純粋に知識を求める場であり、経済活動から独立した存在であるべきとする説でした。

お金儲けのための教育

デューイとヴェブレンに共通するのは、リベラリズムの思想のもとに、社会的共通資本としての教育を求めたことです。

ところが、アメリカでは1960年代以降、学校教育に本来求められていた機能が働かなくなり、不平等を是正するはずの教育が、かえって格差を広げるようになりました。大学では、実用的な研究や、利益を生み出す知識ばかりが日の目を見ます。

そんなアメリカから日本に帰国した宇沢さんは、今度は、いじめや学級崩壊という日本の教育問題を目にして心を痛めます。国の指導のもと、教育予算は削られ、教師は過重労働に疲れ、教室は荒れていました。大学は、法人として利益を上げるために、多くの学生を集めることに腐心し、独自性を失っています。学生もまた、せっかく身につけた専門知識を生かすことより、待遇のいい企業に就職することを目指します。

人間を育てるという重要な使命を担う学校教育にも、利益を追求する資本主義の考え方が、影を落としているのです。

ジョン・デューイ
（1859～1952年）
アメリカの哲学者。著書『民主主義と教育』のなかで、学校教育は社会的統合、平等、人格的発達の3つの機能を果たすと説いた

ソースティン・ヴェブレン
（1857～1929年）
アメリカの経済学者。社会的共通資本の概念のもとになった制度主義を提唱。著書『アメリカにおける高等教育』では、大学論を展開

社会的共通資本としての教育の構造

一般的な学校教育の目的

❶ 社会的結合

生まれた
親族集団

より広い社会に触れる

社会

経済・政治・文化的
役割を果たす

ここを出て

社会人になる

❷ 社会的平等をつくる

結果として
社会的不平等
を是正

生得的
不平等

教育の
平等

❸ 人格的発達

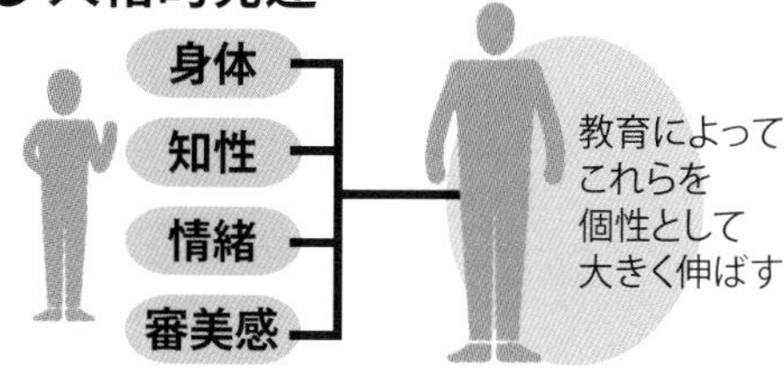

日本の戦後学校教育の基本理念でもあった

大学教育の目的

人間の文明社会に普遍的な
「真理」
エソテリックの獲得

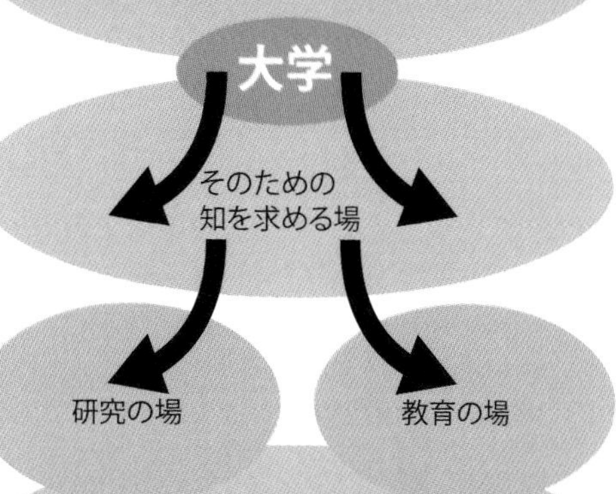

そのための大学という共同体

その基礎の自治

**先端的人材
の育成**

**先端的知識
の獲得**

リベラリズム教育

1960年代より、教育現場への
資本主義的介入が激しくなった

資本主義の介入

- 大学受験偏差値教育
- 企業社会に適合する人材
- 学校教育の効率化
- 教育に経営感覚を

どんな地域に生まれ、どんな家庭で育っても、すべての子どもが社会が提供できる最善の教育を受けられる制度

- 教育予算の削減
- 教師の過重労働
- いじめ、差別事件の多発
- 荒れる教室

その結果生じたことは、巨大な教育格差と教育現場の荒廃

医療が財政の重荷とされ 人の命より経済が優先された

医療にもちこまれた経済理論

教育と並ぶ重要な制度資本が、医療です。日本の医療保険制度は、誰もが最善の医療を安く受けることができる、理想的な国民皆保険制度とされています。その手本となったのは、1948年にイギリスで始まったNHS（国民保健サービス）でした。

NHSは、医療機関を国営とし、医療費は無料、その費用は税収によってまかなわれる、という画期的なものでした。しかし、国の管理下に置かれた医師の給与水準は低く抑えられ、医師の国外流出を招きます。さらに、1980年代になると、新自由主義

先進国の医療保険制度は 1948年イギリスで始まった

その基礎をつくった
ウィリアム・ベヴァリッジ
(1879~1963年)
1942年ベヴァリッジ報告書を議会に提出。
労働党政権が採用

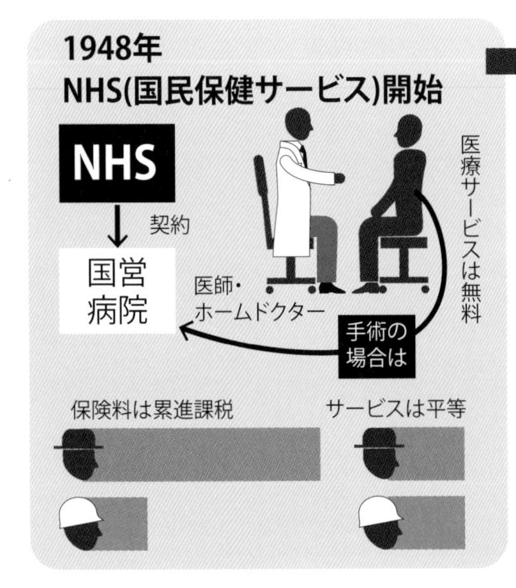

1980年代に、イギリスのこの制度に 新自由主義から攻撃が始まる

イギリス
サッチャー首相

アラン・エントホーフェン
(1930年～)
アメリカの新自由主義経済学者。
ベトナム戦争では実務の総責任者

エントホーフェンの医療への提言

Death-Ratio

１人の患者が死に至るまでの医療費を、可能な限り低額に抑える
この考え方は、ベトナムでの実践によっている

それは

Kill-Ratio

１人のベトナム兵を殺傷するのにかかる経費を、可能な限り低額にするための軍事行動の指針

↓ サッチャーの政策に採用される

医療費の徹底した抑制。例えば60歳以上の患者の医療サービスを抑制。腎臓透析を保険適用外に

医師の数が3分の1に激減。
入院待機者が130万人に達し、
イギリスの医療制度が崩壊した

→ 2000年に労働党政権が医療制度再建の努力を始めた

に賛同したサッチャー首相が、医療費抑制政策に乗り出します。このときサッチャーに知恵を貸したのが、宇沢さんとも交流のあった経済学者エントホーフェンでした。

彼は、1人の患者が亡くなるまでにかかる医療費を、できるだけ安く抑えることを提言します。じつはこれは、ベトナム戦争時の戦争予算の算出を応用したものでした。

エントホーフェンの考え方は、1961年の創設以来、軌道に乗っていた日本の医療保険制度にも影響を与えます。強硬な構造改革を進める小泉政権が、医療保険料の自己負担額を引き上げ、新たな保険料確保のために後期高齢者医療制度を導入したのです。

社会的共通資本であるはずの医療に、経済の効率性をもちこみ、人間性を無視した制度改革は、イギリスでも日本でも、問題視されることとなりました。そして、新型コロナウイルスの流行によって、世界が医療崩壊の危機を経験したいま、宇沢さんが提唱した社会的共通資本としての医療のあり方が、改めて問われています。

このNHSが、日本の医療保険制度のお手本となった

1961年　国民皆保険制度スタート

国民健康保険＋職域保険で国民の99%が、住む場所や収入にかかわらず、最善の医療が受けられる、世界に誇れる制度となった

医療現場の人員・経費の逼迫

1980年代から、日本でも新自由主義経済の攻勢が始まる

小泉首相　＋　竹中平蔵

民間の経済学者で、小泉内閣で金融担当大臣、経済財政政策担当大臣を務めた

小泉内閣の聖域なき構造改革

官から → 民へ

- 株式会社の医療参入
- 社会保障費の年間2,200億円の削減
- 医師数の抑制
- 自由診療の推進
- 後期高齢者医療制度の導入
- 行政の医療施設(保健所など)の削減

しかし、新型コロナウイルスの流行によって、世界は医療崩壊に直面した。
医療は社会的共通資本であることを人々は再認識した

フリードマンの市場原理主義がアメリカ経済学を支配した

利益追求のための自由

新自由主義経済論の旗手ミルトン・フリードマンと宇沢さんが、シカゴ大学の経済学部の同僚であったことは、その後の宇沢さんの人生に大きな影響を与えました。フリードマンの経済理論は、宇沢さんが生涯をかけて闘う最大の壁となったからです。

研究室で机を並べていた頃のフリードマンを、宇沢さんは奇妙で困った人物だったと評しています。当時の宇沢さんは世界第一線の研究者。フリードマンは極端な右翼の保守主義者として、リベラルの伝統をもつ教授会で、当時泥沼化していたベトナム

1960年代のシカゴ大学経済学部に
１人の「困った男」がいた。
その名はミルトン・フリードマン

フリードマンの親友
エドワード・テラー
ハンガリー生まれ、アメリカに亡命した理論物理学者。核兵器開発で中心的役割を果たし、アメリカ政府の核兵器戦略を主導

教授会
当時のシカゴ大学は
数量経済学で世界のトップ。
リベラルな経済学者の
コミュニティーだった

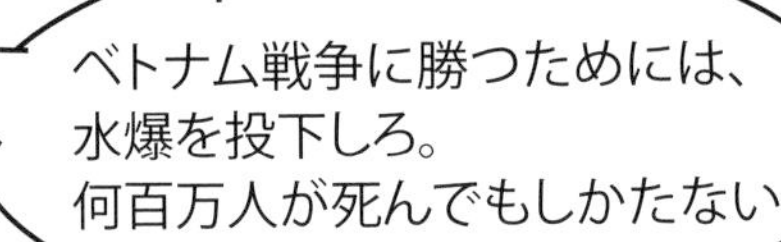

宇沢もその１人

フリードマンの支援者
バリー・ゴールドウォーター
1964年の共和党の大統領候補。選挙戦でベトナムへの核兵器使用を訴え、極右政治家として名を馳せた。その彼でさえ、フリードマンは過激だと評した

シカゴ大学のリベラルへの攻撃
ベトナム反戦運動に共感する教授会は、生徒の評価表の提出を拒否した（その評価表が徴兵の資料となったため）

ベトナム戦争と
アメリカの反共右傾化

この教授会がフリードマン派の
攻撃を受け大学当局・政府の
制裁を受ける

この運動の中心
だった宇沢さんも
大学を追われる

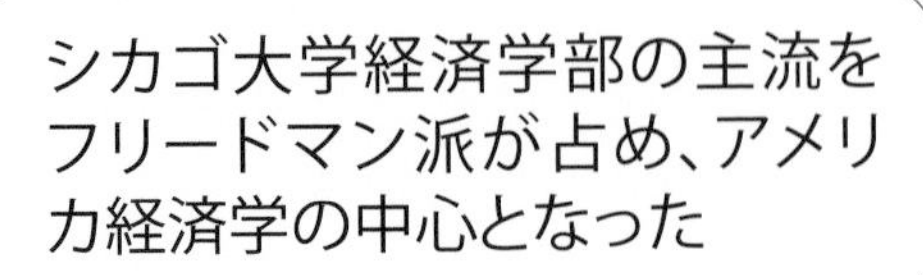

戦争で核兵器を使用することを主張し、教授たちを困惑させていました。

そのベトナム戦争が二人の立場を逆転させます。ベトナム反戦運動はシカゴ大学も揺さぶります。学生たちは徴兵を拒否し、宇沢さんら教授会も、それを支持しました。この教授会に、大学当局と政府が制裁を加え、リベラルな教授たちを一掃します。背後には、フリードマンのグループの画策がありました。宇沢さんも大学を追われます。

これ以降、シカゴ大学はフリードマンら新自由主義経済学の牙城となり、シカゴ学派と呼ばれ、世界の経済理論の主流となります。フリードマンの経済論は、政府にとって都合のいいものでした。第二次世界大戦後、各国政府は積極的な福祉政策を推進し、その財政負担に苦しんでいたからです。

フリードマンは、政府の経済政策への関与をなくし、経済は企業の自由な活動に任せろと説きました。この市場原理主義は瞬く間に世界を席巻します。日本もその波に飲みこまれました。

フリードマンの新自由主義経済政策とは

銀行・企業活動の自由のために規制を撤廃しろ

社会主義的な福祉政策など必要ない

世界の輸入関税も輸出規制も全廃しろ

公営住宅の補助金などもってのほかだ

レーガン大統領

福祉を削って、軍事費に回そう

サッチャー首相

労働組合つぶしに使える

中曽根首相

財政再建と国鉄の民営化だ

小泉首相

とにかく、郵政民営化だ

竹中平蔵
新自由主義経済理論を日本の政治に利用した人物

民間が儲かればいい

安倍首相

アベノミクスはこれでいこう

その影響力は続いている

資本主義と自由
ミルトン・フリードマン

新自由主義経済学の古典
『資本主義と自由』
(日経BP社)

この世界のすべては市場を通して取引できる

市場原理主義

その市場価格こそが正義だ

資本主義とは自由だ!!

この新自由主義が日本を変えた

フリードマン博士の非常識な自由論

私は麻薬の取り締まりには反対だ。麻薬の快楽と、中毒の苦しみを選択するのも、個人の自由だからだ

アメリカの特殊な歴史が新自由主義を生んだ

勝者のための自由

フリードマンが提唱する徹底(てってい)した経済の市場原理主義(しじょうげんりしゅぎ)は、彼がニクソン大統領の経済顧問(こもん)となり、1971年に米ドルと金の交換停止が突然宣言されてから、世界の経済政策を主導するものとなりました。

それから約50年をへて、この新自由主義経済の功罪(こうざい)を考えるとき、真っ先に浮かぶのは、市場原理主義が唱える「市場の自由」が、かなり極端で特殊なものだったことです。なぜこのような極端な経済論理が誕生し、時代を席巻(せっけん)したのでしょうか。　それは、そこがアメリカだったから。アメリカの

アメリカ人の自由の原型は建国以来の「銃による自由」

イギリスの名誉革命と権利章典

市民の武装の権利の確立

1620年　武装したピューリタン移民団がメイフラワー号でプリマスに上陸

このとき以来、アメリカ人は戦い続けてきた

1620年から1890年まで続いた先住民との戦争

1775年 イギリスからの独立戦争

アメリカのプロテスタントは、裕福な者が救われると考える

ヨーロッパでの、プロテスタントの宗教革命

ジャン・カルヴァン
(1509~1564年)

神が定めた勤勉、禁欲、節約を守る厳格な戒律に従うのが救いと説いた

カルヴァン派の人々がアメリカに多く渡った
その考え方の基本は

予定論
救われる人と救われない人は、最後の審判の前に決まっている

救われる人
神の教えを守り、富を築いた人

救われない人
神の教えを守らず、負債を背負った貧しい人

人々にとっての自由と、フリードマンのいう自由が同じものだったからです。その「自由」とは、強い者、富める者が、自分の利益のために自由に行動するための「自由」といえます。巨大企業のための自由、巨大金融資本のための自由を、アメリカの人々が心情的に支持しているからです。

このアメリカの人々の心情は、2つの要素から形成されたと考えられます。下図を見てください。ひとつは建国以来アメリカがたどってきた歴史です。1620年に武装した移民団がプリマスに上陸し、先住民と戦い始めてから現在まで、アメリカという国家は常に銃による戦いを続けてきました。アメリカは、憲法で武器の所持を市民の基本的権利としている国家です。

もうひとつは、アメリカの人々の心情の背後にある宗教です。p48～49でとりあげた資本主義の精神が、アメリカに移民したプロテスタントの人々によって磨き上げられ、手段を問わない富への希求と、成功者への賛美にたどりついたのです。

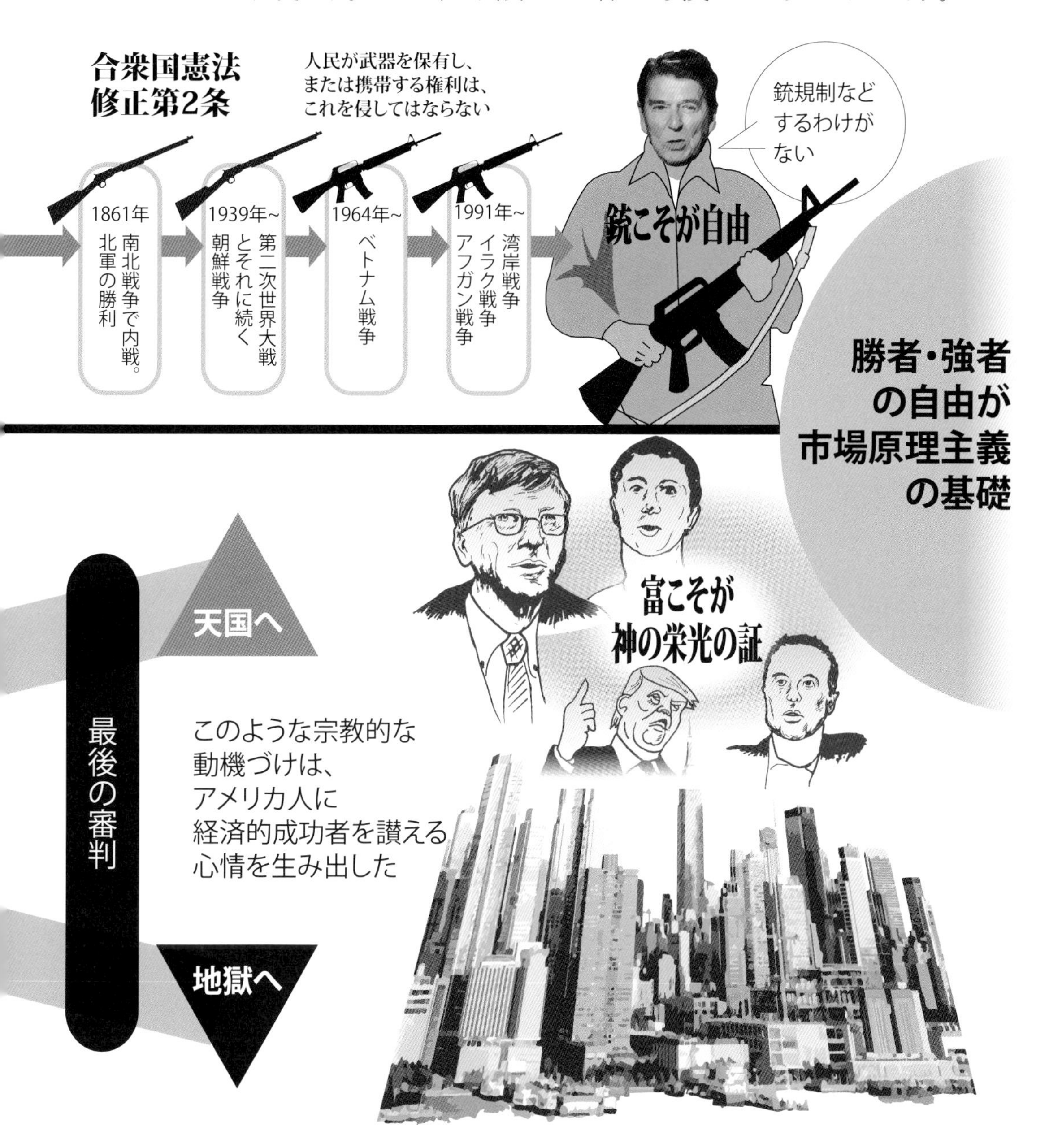

グローバリズムの名のもとに 世界をアメリカ化しようとした

強者の自由が世界を覆う

新自由主義経済がアメリカに誕生した背景には、建国以来、アメリカの人々の心情を支配し続ける「強者の自由」がありました。この心情は、東西冷戦時には資本主義陣営のイデオロギーとして、ソ連崩壊後は資本主義の絶対的勝利の理論として、その地位を不動のものとしました。

ソ連崩壊によって唯一の超大国となったアメリカは、軍事と経済で世界の覇権を握りました。覇権とは、世界各国間のさまざまなルールを決定する力のことです。この覇権の力を行使して、アメリカは世界の経

社会主義経済
集団的計画経済体制

ソ連
崩壊

対立

反共イデオロギー
としても機能した

アメリカ式
新自由主義・
市場原理
経済

アメリカ
資本主義
の勝利

グローバル経済へ

多国籍
金融資本

多国籍
IT企業

多国籍
食品企業

多国籍
資源企業

防衛・
航空機
産業

IMF
(国際通貨基金)

世界
銀行

アメリカ
財務省

グローバリズムを実現するのに
国際機関が大活躍した

途上国への金融支援の条件として、
アメリカ企業の自由な活動を保証
するための条件をつけた

- 国内直接投資への障壁の撤廃
- 通商障壁の撤廃
- 市場規制の緩和
- 国営企業の民営化
- 金利の自由化
- 税制改革

など、その国の経済システムの変更を求めるものだった

この条件はワシントン・コンセンサスと呼ばれた

済政策のルールを、新自由主義的システムに準ずるように求めました。

このルールが最も鮮明に表れたのが、IMF（国際通貨基金）が、発展途上国の支援に際して突きつけた国内政策の条件でした。これは、ワシントンD.C.に本拠を置くIMF、世界銀行、アメリカ財務省などの協議によって決定されたため、ワシントン・コンセンサスとも呼ばれます。

途上国支援といいながら、徹底（てってい）した市場の規制撤廃（てっぱい）、官営（かんえい）事業の民営化（みんえいか）、外国資本への規制撤廃などの政策が、個々の国の経済や文化の違いも無視して実施されます。それはまるで、巨大なブルドーザーが、環境を破壊（はかい）しながら地ならしし、そのあとにアメリカの多国籍企業がパラシュートで次々と降りてくるかのようでした。文字通り「強者の自由」が行使されたのです。これが「グローバル経済」の姿でした。

日本もこのグローバル経済の波に飲みこまれました。経済再建、構造改革の名のもとに同じブルドーザーが走り回ったのです。

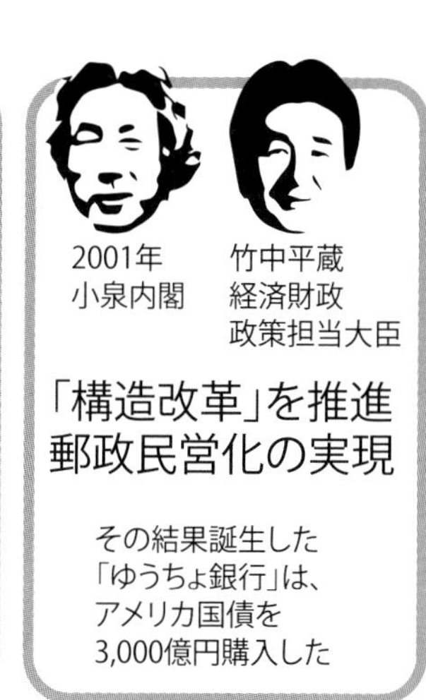

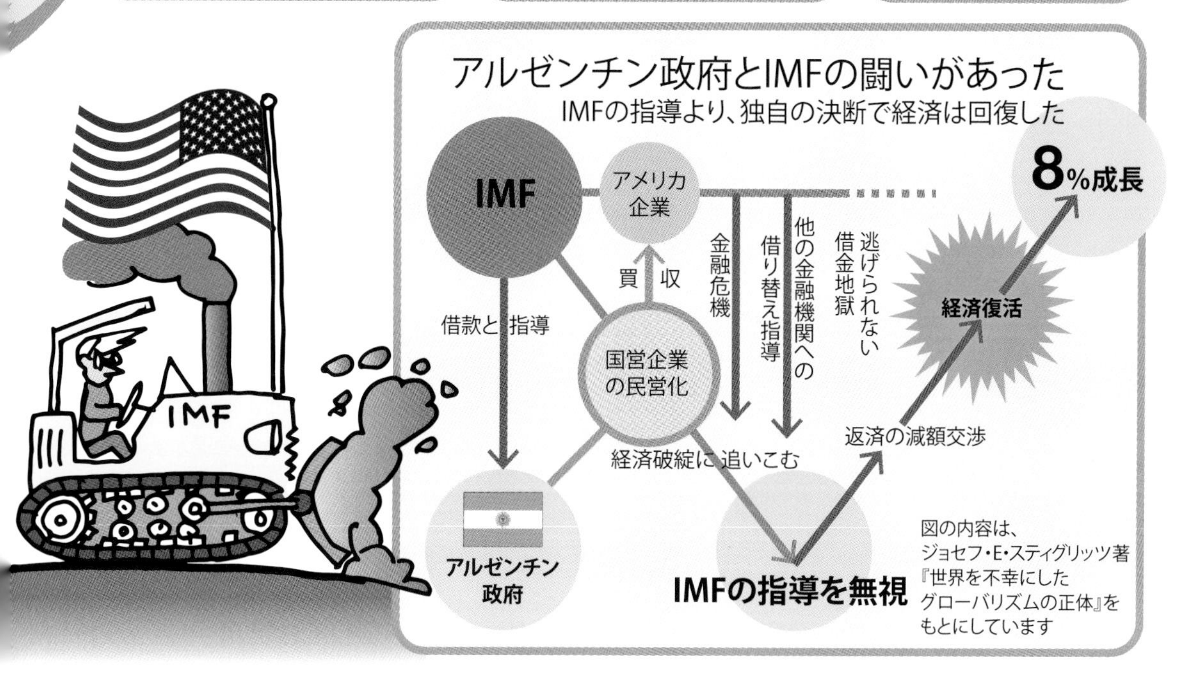

レントシーキングという名の強欲な資本主義を許した

暴かれたグローバル経済の正体

2001年にノーベル経済学賞を受賞したコロンビア大学教授のスティグリッツ博士は、一貫して新自由主義経済を批判し続けています。博士は、行動する経済学者としてクリントン政権の経済顧問を務めたのち、世界銀行のチーフエコノミストとして世界各地を訪れ、グローバル経済が引き起こした弊害に直面。2000年に世界銀行を辞したのち、『世界を不幸にしたグローバリズムの正体』を著します。世界経済政策の中枢を担った人物によるグローバル経済批判は、大反響を呼び、同書は世界的ベストセラーとなりました。以来、博士は、アメリカの「強者の自由」が席巻した市場原理主義に警鐘を鳴らし、その改革を提言しています。

利益独占のための裏工作

博士が告発する、行きすぎた市場原理主義の弊害のひとつが、レントシーキングです。レントシーキングとは、企業が政府などに働きかけ、レント（超過利潤）を得ようとすること。健全な資本主義経済が機能するためには、公正な市場競争が不可欠ですが、政治や巨大企業の圧力によってルールがねじ曲げられ、ごく一部の人々に利益が独占されているのです。

右ページに図示したのは、その典型例です。経済危機まで利用する金融機関の利益追求、巨大IT企業の横暴、富裕層を優遇する不公平な税制などを、博士は列挙します。この構造は、日本経済でも同様です。

『世界を不幸にしたグローバリズムの正体』(徳間書店)
『世界の99%を貧困にする経済』(徳間書店)
ジョセフ・E・スティグリッツ
(1943年〜) アメリカの経済学者。
シカゴ大学時代の宇沢さんの教え子

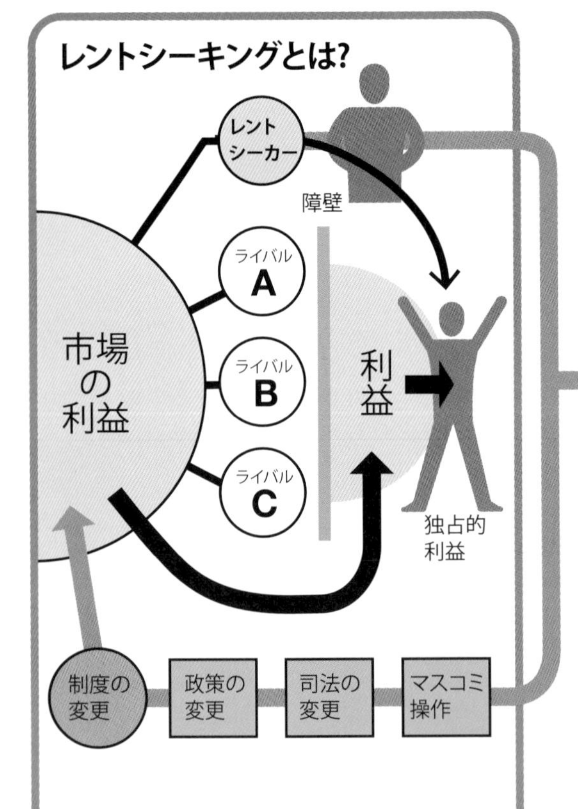

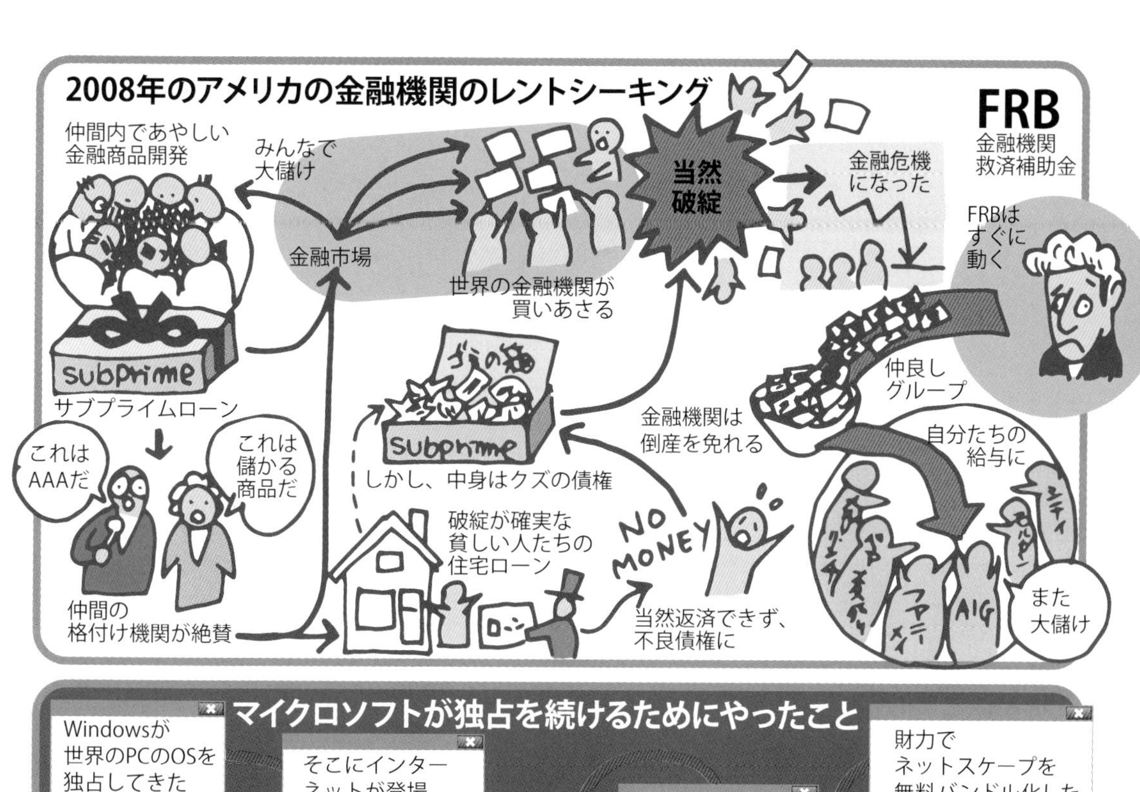

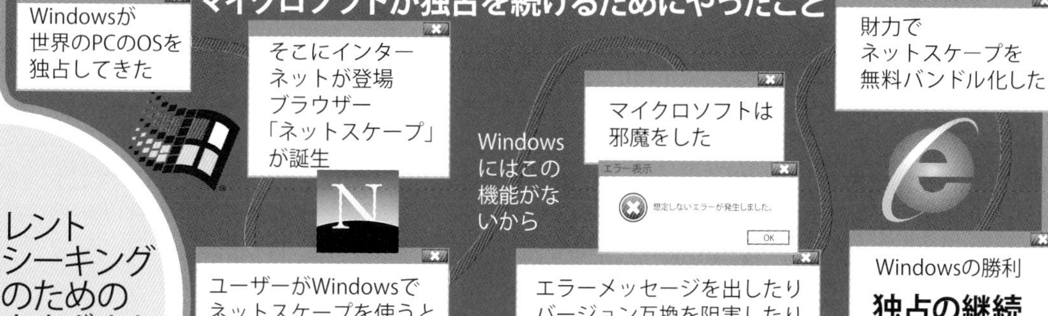

レントシーキングのためのさまざまな裏工作

持続可能な開発目標

SDGsが求める持続可能な経済

あらゆる目標に関連する経済

2015年、国連に加盟する世界193カ国は、「持続可能な開発のための2030アジェンダ

目標 1 あらゆる場所であらゆる形態の貧困を終わらせる

目標 2 飢餓を終わらせ、食料の安定確保と栄養状態の改善を達成すると共に、持続可能な農業を推進する

目標 3 あらゆる年齢のすべての人々の健康的な生活を確保し、福祉を推進する

目標 4 すべての人々に包摂的かつ公平で質の高い教育を提供し、生涯学習の機会を促進する

目標 5 ジェンダーの平等を達成し、すべての女性と女児の能力強化を図る

目標 6 すべての人々に水と衛生へのアクセスと持続可能な管理を確保する

目標 7 すべての人々に手ごろで信頼でき、持続可能かつ近代的なエネルギーへのアクセスを確保する

国連が2030年までに目指す

2 飢餓を
ゼロに

7 エネルギーをみんなに
そしてクリーンに

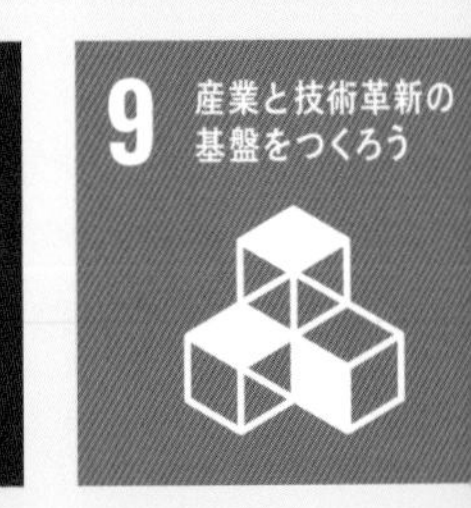

目標 8 **すべての人々のための持続的、包摂的かつ持続可能な経済成長、生産的な完全雇用および働きがいのある仕事を推進する**

目標 9 強靭なインフラを整備し、包摂的で持続可能な産業化を推進すると共に、イノベーションの拡大を図る

（行動目標）」を採択し、2030年までの達成目標として、下に示した17の「持続可能な開発目標（SDGs）」を掲げています。

このうち経済に直接関わるものは、**目標8「働きがいも経済成長も」**と**目標12「つくる責任つかう責任」**です。どちらにも共通していえるのは、世界中のすべての人々が幸せになり、未来に受け継いでいくことのできる、「持続可能な経済」が求められているということです。持続可能な経済システムをつくるためには、貧困、飢餓、健康や教育などなど、その他の問題も解決していかなければなりません。経済は、あらゆる問題に関連しているのです。

そもそも、現在、世界が抱える問題のほとんどは、資本主義経済が招いた過剰な開発によって引き起こされたものといえるでしょう。いい換えれば、SDGsが目指しているのは、これまでの資本主義のゆがみを正すことでもあるのです。

持続可能な開発目標SDGs

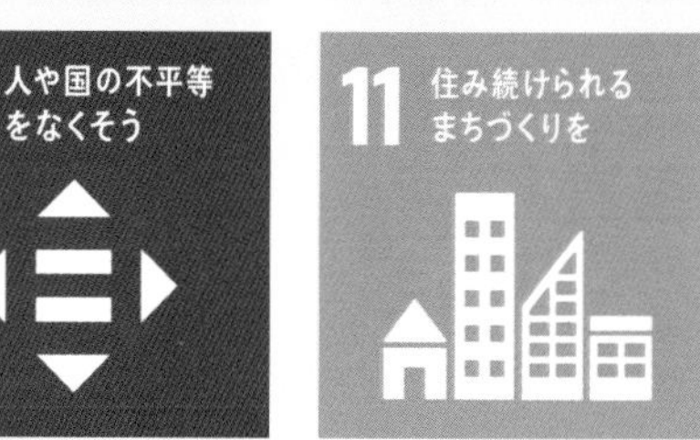

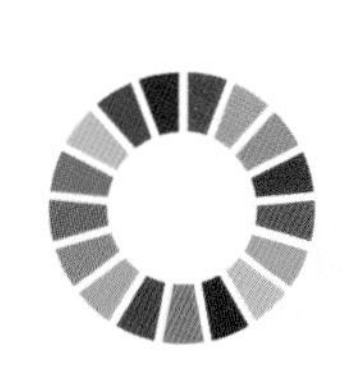

目標12 **持続可能な消費と生産のパターンを確保する**

目標13 気候変動とその影響に立ち向かうため、緊急対策をとる

目標14 海洋と海洋資源を持続可能な開発に向けて保全し、持続可能な形で利用する

目標15 陸上生態系の保護、回復および持続可能な利用の推進、森林の持続可能な管理、砂漠化への対処、土地劣化の阻止・回復ならびに生物多様性の損失阻止を図る

目標10 各国内および国家間の不平等を是正する

目標11 都市と人間の居住地を包摂的、安全、強靭かつ持続可能にする

目標16 持続可能な開発に向けて平和で包摂的な社会を推進し、すべての人々に司法へのアクセスを提供すると共に、あらゆるレベルにおいて効果的で責任ある包摂的な制度を構築する

目標17 持続可能な開発に向けて実施手段を強化し、グローバル・パートナーシップを活性化する

イエティ君の帰った故郷が豊かさに包まれていたわけは？

少しずつの暮らしの変化

長い旅を終えて、イエティ君が、懐かしいヒマラヤの麓の村に帰ってきました。峠を越えて、村を一望したイエティ君の目には、ここを出発したときと変わらない光景に見えました。旅の途中、人々のさまざまな欲望と理想によって、経済が大きく変わるさまを目撃してきたイエティ君にとって、変わらぬ故郷は心休まるものでした。

手を振りながら、村の入口に立つと、家族が出迎えてくれました。両親に弟、祖父、そして隣のおじさん夫婦。誰も変わりありません。でも、あれ、どこかが違う、とイ

エティ君は気づきます。お父さんはイギリス紳士のようなジャケットを着ているし、お母さんはアラブ世界で見たような美しい布のロングドレス姿。弟など見たこともない車つきの板に乗って遊んでいます。

懐かしい家に向かうと、わらの家だったのが、美しい木でできた二階建てになっています。呆然としているイエティ君に、お父さんがこう言いました。

「この村は人口も増えていないし、ほかの町のように工場もできていない。でも、暮らしのなかのものは、進歩しているんだよ。規模の成長ではなくて、一つひとつの物の質を高める努力を続けてきたのさ」

そう言ってお父さんは、銀色のボウルが集めた太陽光で沸かしたお湯で、イエティ君にコーヒーを入れてくれました。

「お父さん、この村は、これまで僕が見てきたどんな場所とも違うみたいだ」

「そうだろう、この村の経済システムは定常経済と呼ばれるものなんだ」

定常経済？ 何だろう、それは。

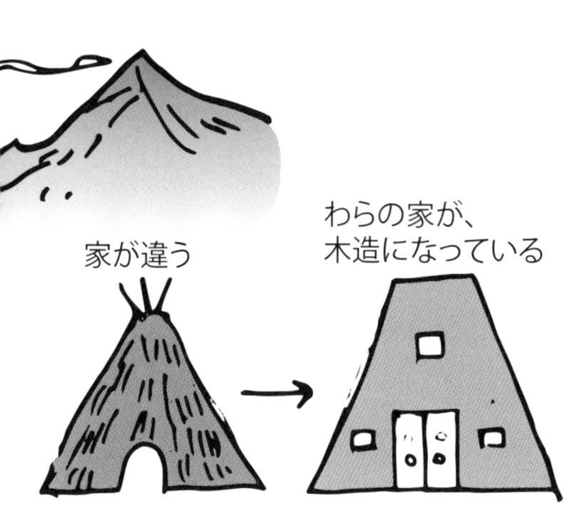

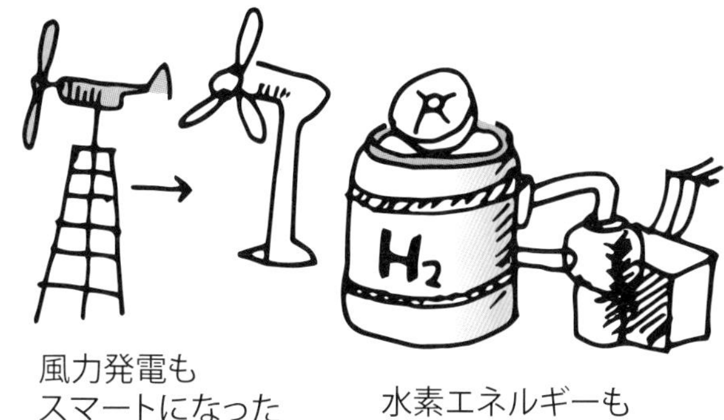

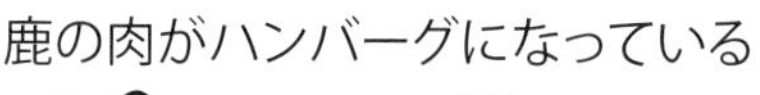

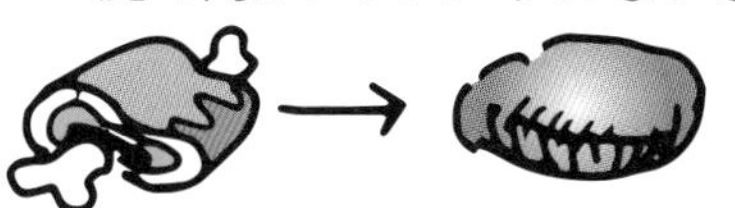

焚き火が太陽光グリルになっている

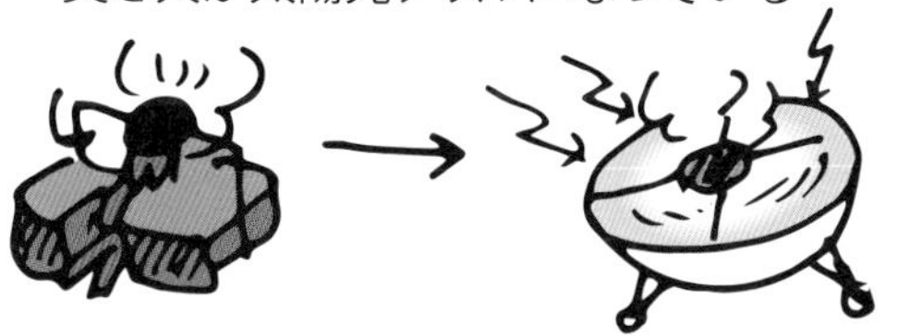

物は増えていない、でも少しずつ進化している

この村は経済規模の拡大成長はしていない。
でも、どんどん豊かになっている。
こんな経済を、みんなは定常経済と呼んでいる

定常経済とは、地球と調和した持続可能な資本主義経済のこと

地球の処理能力は限界に

定常経済とは、一定の人口と一定の資本によって成り立つ経済です。この定常経済を、新しい資本主義の理論として研究する生態経済学では、人間の経済活動も、地球の生態系が行うエネルギー代謝システムの一部としてとらえます。

下の図のように、地球は宇宙空間のなかで太陽のエネルギーだけを受け、生態系を維持しています。ほかから何も入れず、排出もしない、ひとつの閉じた空間です。宇宙飛行士が、宇宙服のなかの空気だけで命を保つように、地球の生態系が処理できる

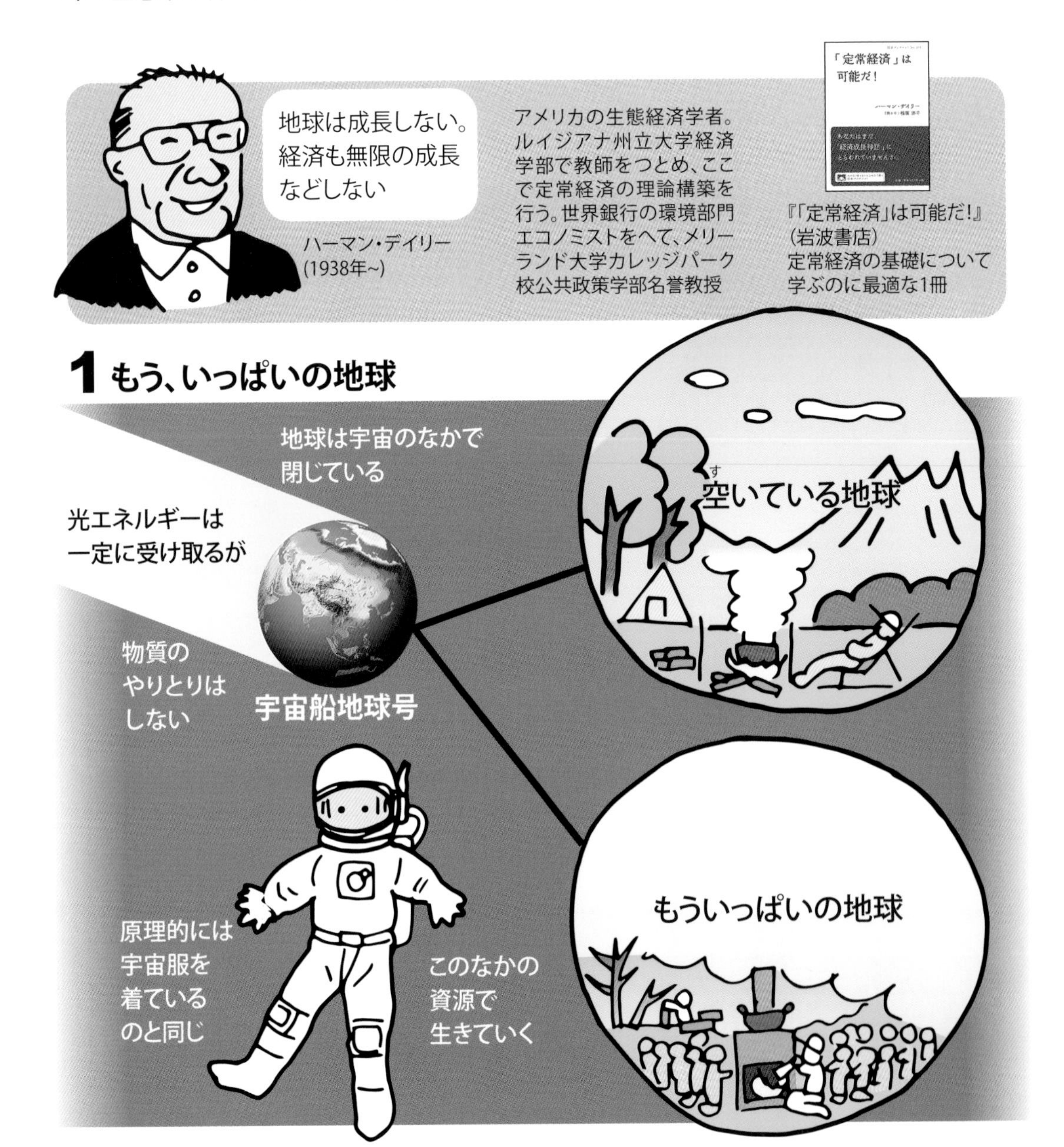

エネルギー量にも限界があります。

デイリーに代表される生態経済学の研究者は、持続可能な経済活動の規模は、地球の生態系がもつ処理能力の限界を超えないことが、絶対条件だと考えます。ところが、現在の経済活動の規模は、地球が 1.5 個必要なほど膨張しており、それが地球温暖化の原因であるとも主張しています。

ではここから、デイリーの説に沿って、なぜ定常経済が望ましいのかを、5つのポイントにしぼって探っていきましょう。

第1に、地球の処理能力はもういっぱいだということ。第2に、あらゆるものは秩序ある状態から無秩序な状態に変化し、その逆はないとする「エントロピーの法則」に従います。地球から低エントロピーの資源を取り出すと、高エントロピーの廃棄物を地球に戻すことになるので、この流れ（スループット）を制限する必要があります。第3に、地球の限界のなかで展開されてこそ、持続可能な経済だといえます。この続きは、次のページで見ていきましょう。

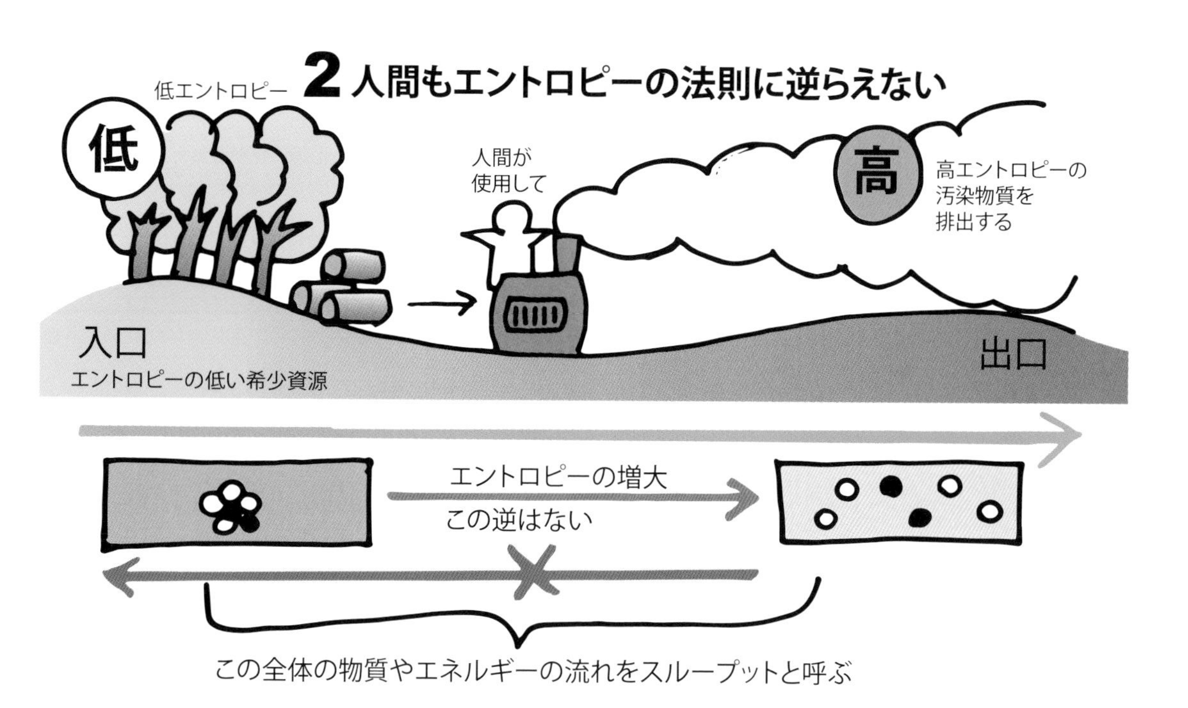

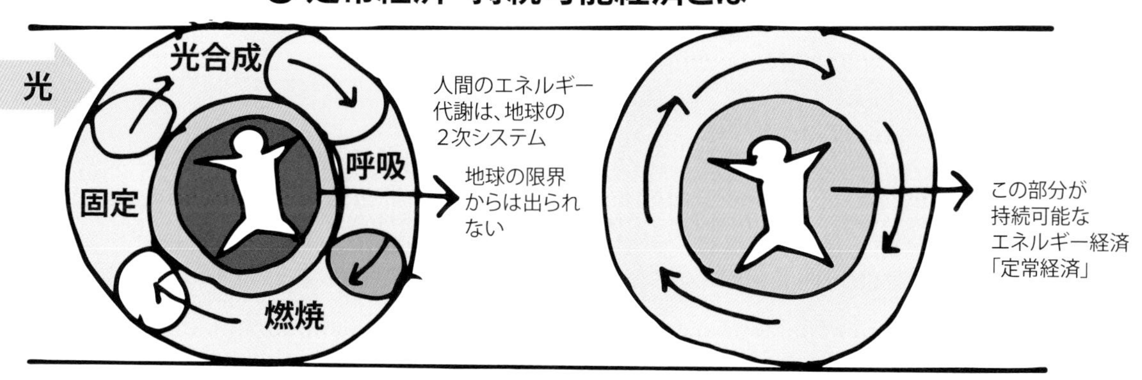

「成長」は経済学の大きな錯覚 成長しない豊かさもある

経済成長はじつは不経済

定常経済の第４のポイントは、成長のとらえ方です。これまでの経済学は、当然のように、経済成長を前提としていました。

ところが、デイリーは、経済成長が常によいものと考えるのは、大きな錯覚だと指摘します。現在の経済は、成長を求めるばかりに、環境や社会に経済的損失をもたらしており、その結果、費用に対して便益が少ない「不経済成長」に陥っている、とデイリーは言います。たとえてみれば、野放しのトマトのようなもの。一見大きく成長しているように見えますが、養分が枝葉に

4 不経済成長と定常経済の成長

不経済成長

経済全体の成長に使われる資源に比べて、そこから得られる便益(この場合はトマトの実)が少ない

定常経済の成長

枝葉の成長を止めて、その養分を実に回しているから、毎年豊作で社会は成長する

枝葉の成長を止めてある

とられて実があまりつきません。

一方、剪定して枝葉の成長を止めたトマトには、実がたくさんつきます。成長しなくても豊かさがある。これが、定常経済です。

規模の成長より幸福な進歩を

第５のポイントは、人間の幸福です。これまでの経済学は、経済規模の指標であるGDPの成長こそが、人間の幸福をつくると考えていました。資本主義社会が抱えている問題、例えば、経済格差も環境問題も、経済が成長して全体が豊かになれば、自然に解決すると主張していたのです。

しかし、現実は経済学者たちが言うようには推移していません。デイリーは、経済の規模ではなく、真の豊かさを表す新しい指標として、GPI（真の進歩指標）を提案しています。これは、豊かさにつながらない経済活動を差し引き、純粋に便益だけを計測しようとするもの。見せかけの成長ではなく、人間社会の実質的な成長こそが、定常経済が目指すものなのです。

5 規模の成長ではなく、人間の幸福の成長を知る基準が必要

GDPが増加しても、人間の幸福は増進しない

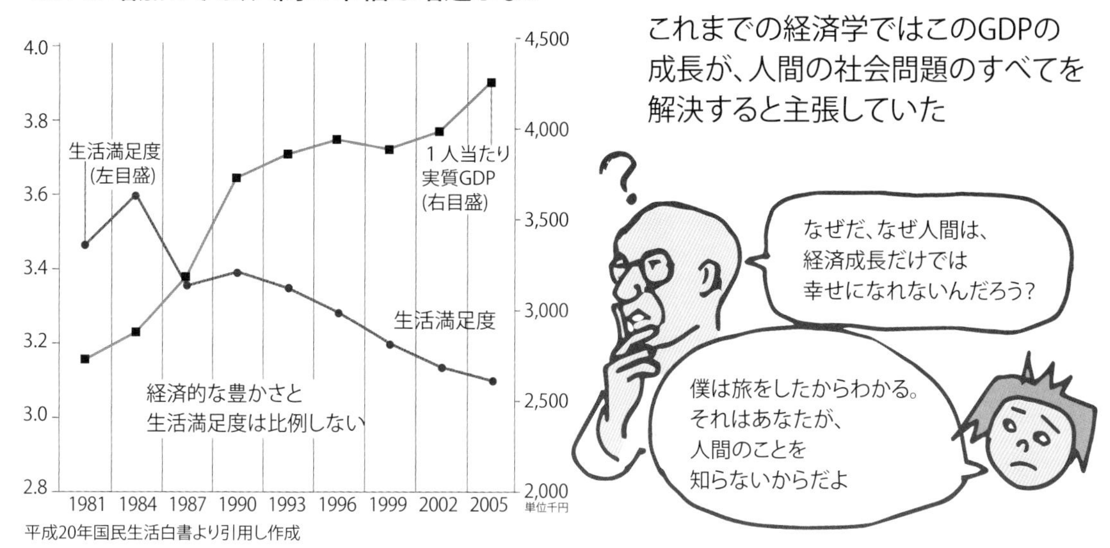

平成20年国民生活白書より引用し作成

GDP(国内総生産)からGPI(真の進歩指標)へ

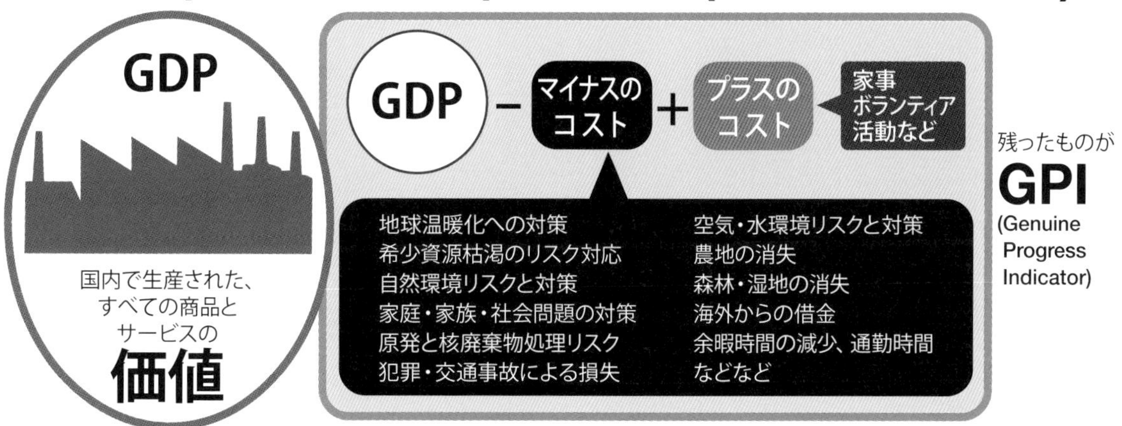

成長至上経済から定常経済へどうやって移行するのか

定常経済への5つの道

国連が推進するSDGsが目指すのは、持続可能な人間活動です。CO_2の排出抑制も、飢餓の撲滅も、経済格差の是正も、実現するには経済活動の是正を必要とします。これまで主流だった資本主義の経済活動がもつ欠陥を、何らかの方法で是正することが、SDGsの課題でもあるのです。

この課題に対するひとつの答えが、定常経済です。デイリーは、時間をかけ、手順を踏めば、現在の資本主義経済から定常経済への移行は可能だ、と主張しています。そのために必要な経済政策を、下の図

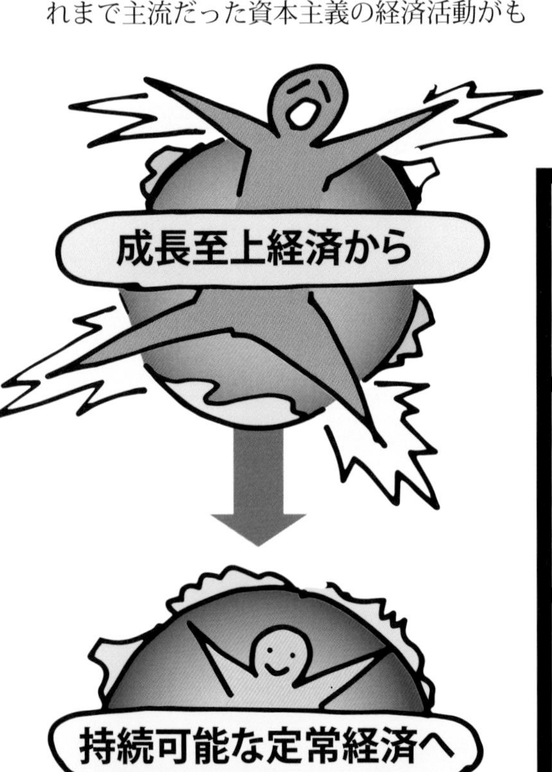

地球資源の使用に関して、世界で上限を定めて、公正に割り当てる

企業などに環境税を適用する

国際自由貿易の制限と新保護主義

金融システムの大幅な改革が必要

富裕層への課税
所得格差の是正

2050年までに定常経済に移行するためには

にまとめてみました。

第1は、全世界で地球資源の使用量の上限を定め、公正に各国に割り当てることです。これを「キャップ・アンド・トレード（上限を設けた市場取引）」といいますが、現状では世界各国が受け入れるには、まだまだ時間が必要でしょう。

第2の環境税は、全世界の企業に対して、経済活動に必要な地球資源の取得量と、その結果生じるCO_2などの廃棄物(はいきぶつ)に対し、課税しようというものです。この環境税は、企業経営から自然環境資本に関わる費用を排除(はいじょ)する現在の資本主義に対して、大きな修正を迫るものとなります。

第3の国際自由貿易の制限は、グローバル経済への批判として、多くの経済学者が提言しています。第4の国際金融システムの変革(へんかく)についても同様です。この2点は、このあとのページで詳しく検討(けんとう)しましょう。

第5は、所得格差の是正ですが、いうまでもなく、富裕層への適切な課税は、明日にも実行されなくてはならないでしょう。

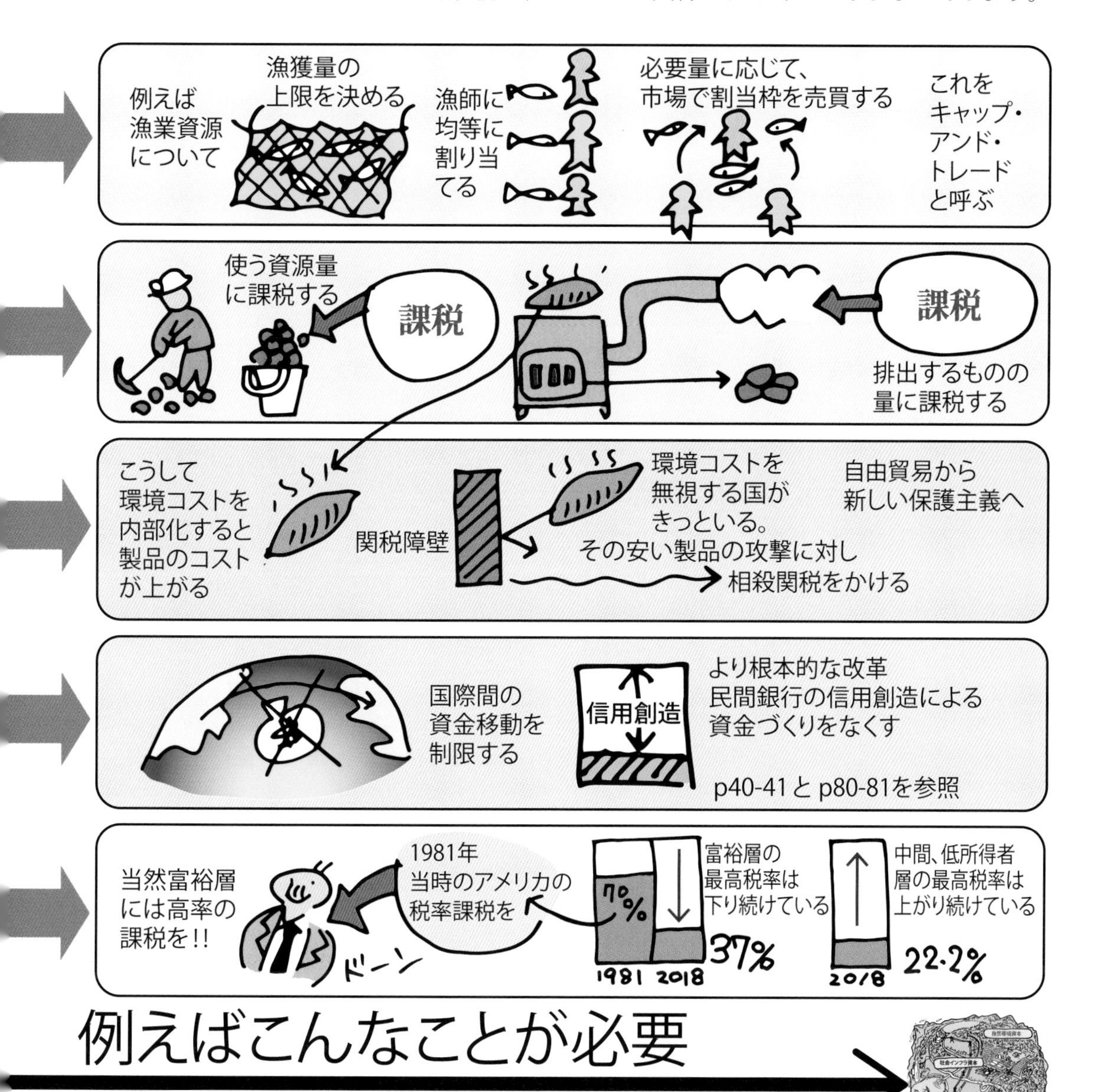

新しい保護主義がローカル経済を復活させる

国内の産業を育てるための保護

行きすぎたグローバル経済に対する批判の急先鋒に立つのが、フランスの人類学者トッドです。著書『帝国以後』で、ソ連崩壊とアメリカ経済のリーマン・ショックを予測し、世界的評価を得た彼は、その後『自由貿易は、民主主義を滅ぼす』を著し、新たな貿易の保護主義を提唱しています。

保護主義とは、自国内の産業保護のために、商品・資本の輸出入に関税や法律の障壁を設けて、海外からの無制限な流入をくいとめようとするものです。

下の図に示したように、巨木の根が、よ

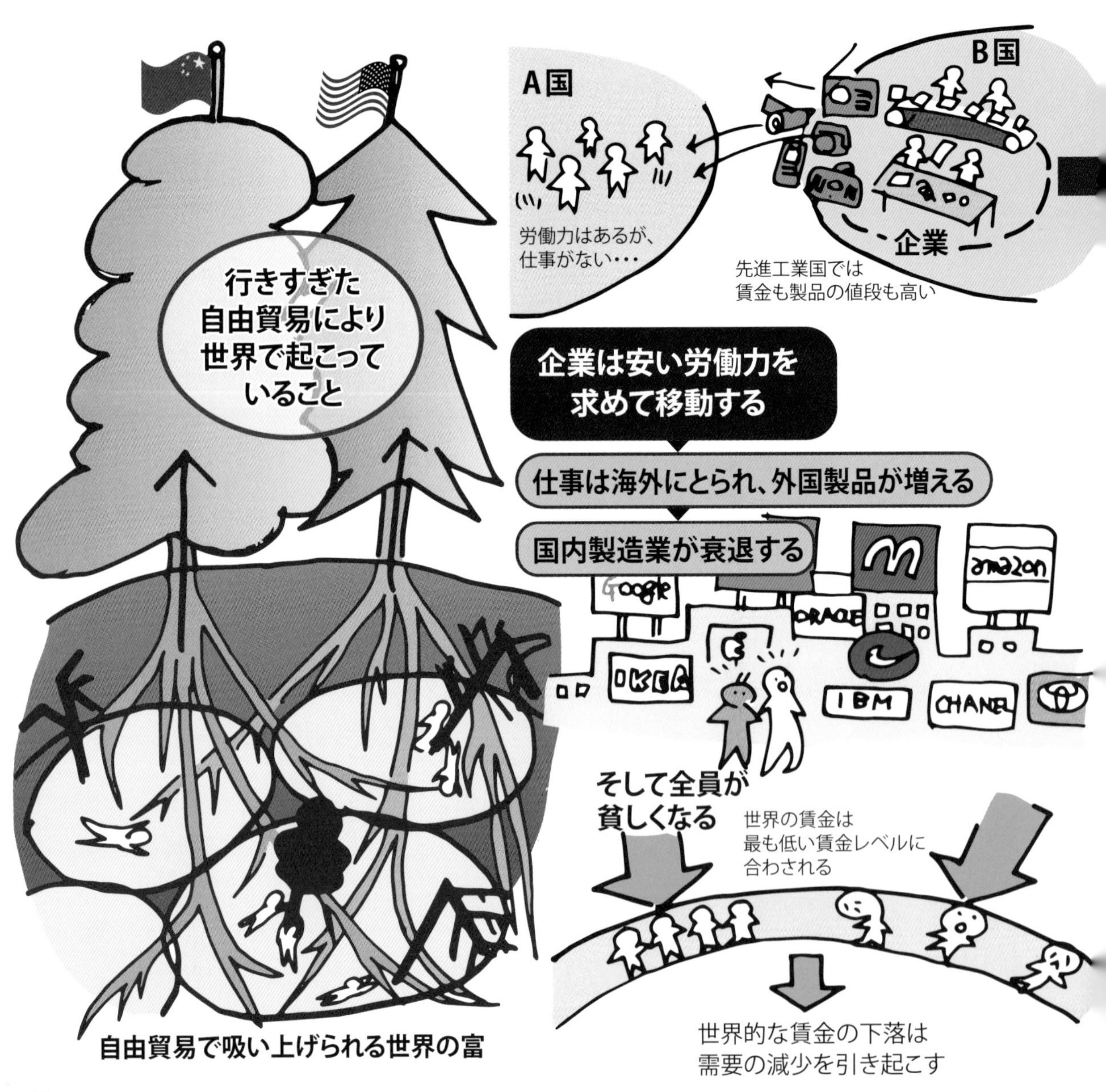

自由貿易で吸い上げられる世界の富

その土地まで無制限に伸びてきて、水分や養分を吸い上げてしまうと、その上で暮らす人々の土地は荒廃してしまいます。現在の日本の経済が低迷し、人々の所得が減っているのは、これと同じ状態です。

このように自国内まで伸びた根を、一定期間切り取り、栄養分を自国の木々の成長に振り向けようとするのが、保護主義です。

トッドは、EUのように経済ブロックを形成している地域では、保護主義の実現は容易だといいます。中国などの低価格商品には関税をかけ、自国製品に価格競争力をつけます。その結果、自国製品の需要が伸び、働く人たちの所得も増えます。所得が増えれば、社会全体の景気も回復するでしょう。

デイリーが、定常経済への移行には保護主義が必要としたのも、同じ発想です。それも、これまでのような、競争力のない自国製品を守ろうとする古い保護主義ではなく、自国製品の質を高め、産業に従事する人々を豊かにする「新しい保護主義」を提唱しています。

エマニュエル・トッド（1951年～）

フランスの歴史人口・家族人類学者。人類学の分析手法でソ連崩壊、アメリカ経済の危機を予告した『帝国以後』は、世界的ベストセラーに

『自由貿易は、民主主義を滅ぼす』（エマニュエル・トッド著、藤原書店）本書で、新自由主義的自由貿易ではない、均衡のとれた保護主義の必要を説く

定常経済への移行には まず金融業界の改革が必要

公共財としての金融業

「社会的共通資本」を基軸に市場原理主義を批判する宇沢さんは、金融機関も、人々の幸福のために働く公共財であるべきだと主張しました。この公共財としての金融業という形態を、一時期実現させたのが、世界大恐慌のあと、アメリカで成立した「グラス＝スティーガル法」でした。

銀行業と証券業を分離し、預金金利に上限を設け、銀行がほかの業種を支配しないように持株会社を規制し、預金保険制度も創設。この法律は、預金者を保護し、金融機関の利益追求を規制するものでした。

金融機関は社会的共通資本だ

宇沢弘文

社会的共通資本としての金融機関のあり方の先例として、宇沢博士は1929年の世界大恐慌を乗り切るために、アメリカのルーズベルト大統領が制定した「グラス=スティーガル法」を挙げる。同法は銀行制度に社会的な基準を設定した

不平等社会の改革は金融業界の改革から

ジョセフ・E・スティグリッツ

金融業界の改革の鍵として、スティグリッツ博士はレバレッジと流動性の制限を挙げている。「レバレッジという魔法で無から資源をつくり出せると信じている。そんなことができるはずがない」

1933年
アメリカの「グラス=スティーガル法」は、
銀行の利益追求に規制をかけた

金融業
証券業
預金者の
保護

金融業と証券業を分離した

預金金利の上限の設定

金融業の
暴走を抑える

銀行の持株会社の規制

預金保険制度の創設

この法律をフリードマンは攻撃し

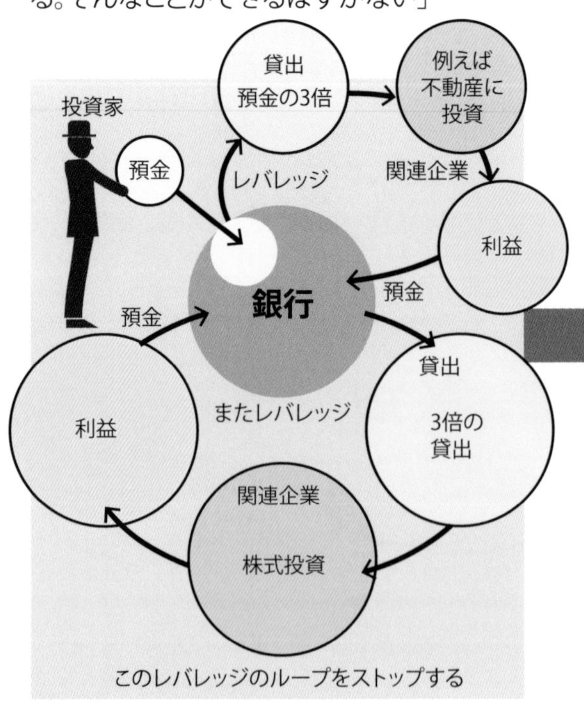

1980年に金融の規制緩和案「預金金融機関規制緩和・通貨管理法」が制定され

今日のように、金融業界が無謀な利益追求に走るようになったのは、1980年代に、新自由主義の台頭によって、「グラス＝スティーガル法」が骨抜きにされ、金融業の自由化、規制緩和が実現してからです。

信用創造はいらない

スティグリッツは、現在の金融業の問題として、銀行がもつ信用創造機能を無制限に拡大した「レバレッジ」による投資資金の膨張を批判しています。レバレッジとは「てこの原理」を意味し、金融界では、お金を担保にして、それ以上のお金を借りて取引することをいいます。投資家はこれを利用して、自己資金の何倍もの投資を行い、利益を上げます。その結果、金融市場には、実体経済とは無関係な投資資金が溢れ、経済格差のもとをつくり出しているのです。

デイリーは、諸悪の根源である民間銀行の信用創造機能を禁止しよう、とさえ提案しています。架空のお金が増殖するようなしくみは、定常経済には必要ないのです。

ハーマン・デイリーは、より根本的な改革を提案する。それは民間銀行の信用創造の禁止だ

デイリー博士は、「民間銀行は預かったお金を全額中央銀行に預け入れるべし」と主張する。これは、銀行が預金引き出しのための現金の準備率を100%に引き上げることを意味する。つまり、預金者が預けたお金と貸し出されるお金がぴったり合うので、架空のお金で過剰な投資が行われるのを防ぐことができる

信用創造については
p40-41をまず読んでください

こんなことは止めなければ

銀行は信用創造によって投資家により多くの資金を貸し出すことができる

これは銀行の帳簿上につくられたバーチャルなお金だ

リアルなお金はこれだけ

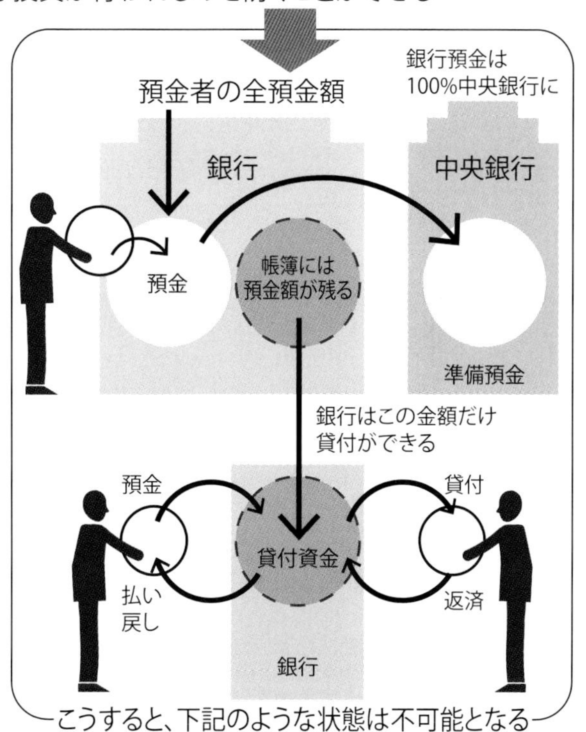

アメリカの金融業の暴走が始まった

2025年には、1.6京円（現在の世界の国内総生産の2倍）の資金が世界の投資市場に注ぎこまれる見通し

貧者のための金融こそ必要 グラミン銀行はその先駆け

貧困層のための少額無担保融資

前項で見たように、現在の金融機関が抱える欠陥のひとつは、信用創造によって生み出された架空のお金を、富裕層の資産投資に振り向けていることでした。さらに、もうひとつ重大な欠陥があります。それは、下の図のように、貧困層を金融サービスから排除していることです。

南アジアの小国バングラデシュは、1971年にパキスタンから独立したあとも、極度の貧困にあえいでいました。ムハマド・ユヌスさんは、当時チッタゴン大学の経済学の教授でした。大学を一歩出れば、明日の

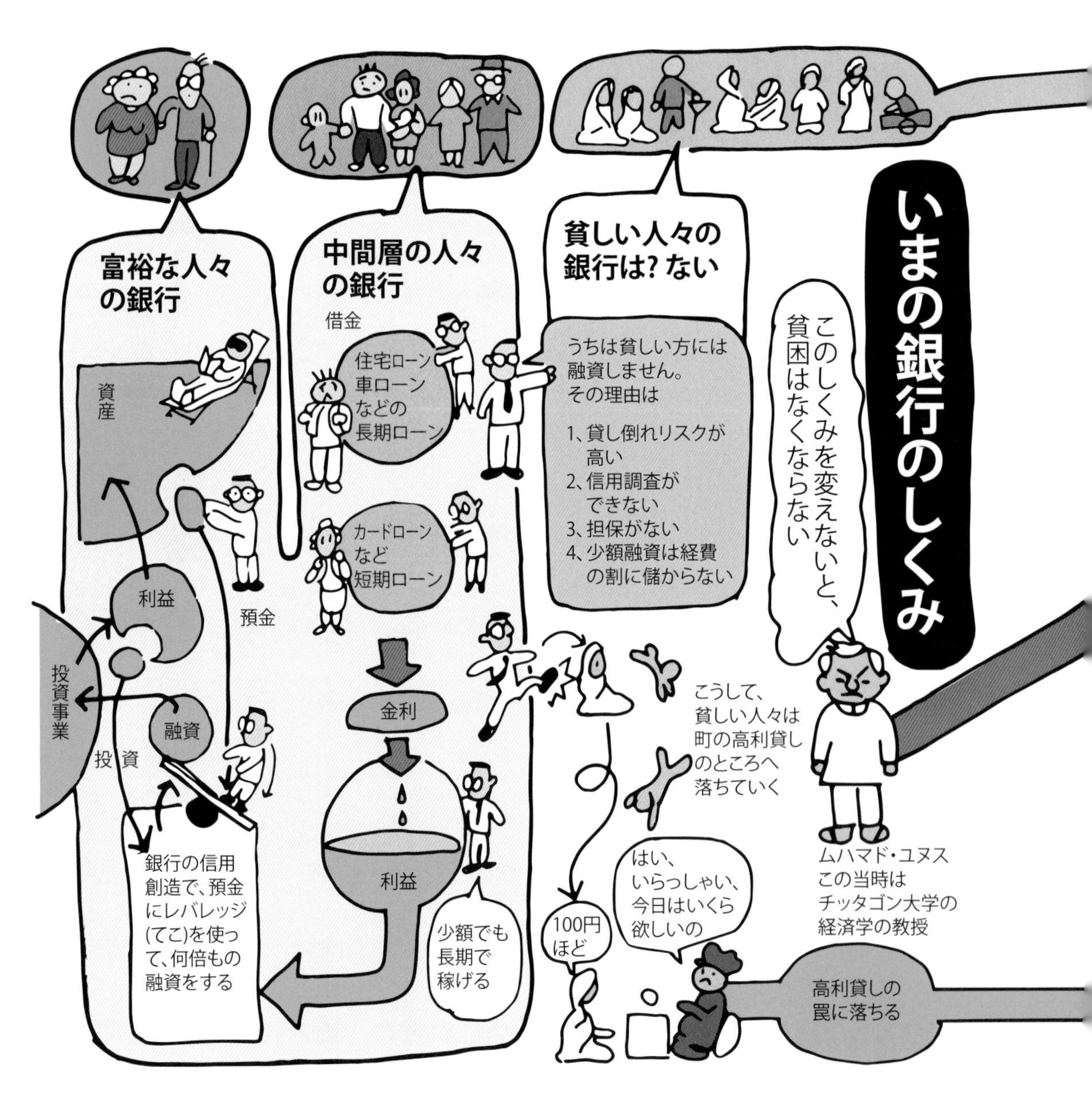

食事にも事欠く人々が溢れています。こんなとき経済学者に何ができるのでしょう。

ユヌスさんは、身近な貧しい人々の暮らしを調査して、あることに気づきます。貧しい人々は、下段の図に示したように、わずかな借金に高額の利子をつける高利貸し(こうりがし)の罠(わな)にとらわれていたのです。

ユヌスさんは、1人の女性に27ドル相当のお金を貸しました。これをきっかけに、高利貸しの罠から逃れた女性は、ハンドクラフト製作者として自立できたのです。このとき、ユヌスさんの頭に、グラミン銀行のアイデアが浮かびました。貧しい人が職業的に自立するための、少額無担保融資(むたんぽゆうし)を専門とする銀行です。最初ユヌスさんは、既存(きそん)の銀行にこの話をもちかけました。政府を説得しようともしました。しかし誰にも相手にされず、人々の意識を変えるより、自分で始めようと決心したのです。

こうして1983年に設立されたグラミン銀行は、それから35年以上たったいま、世界40カ国に広がろうとしています。

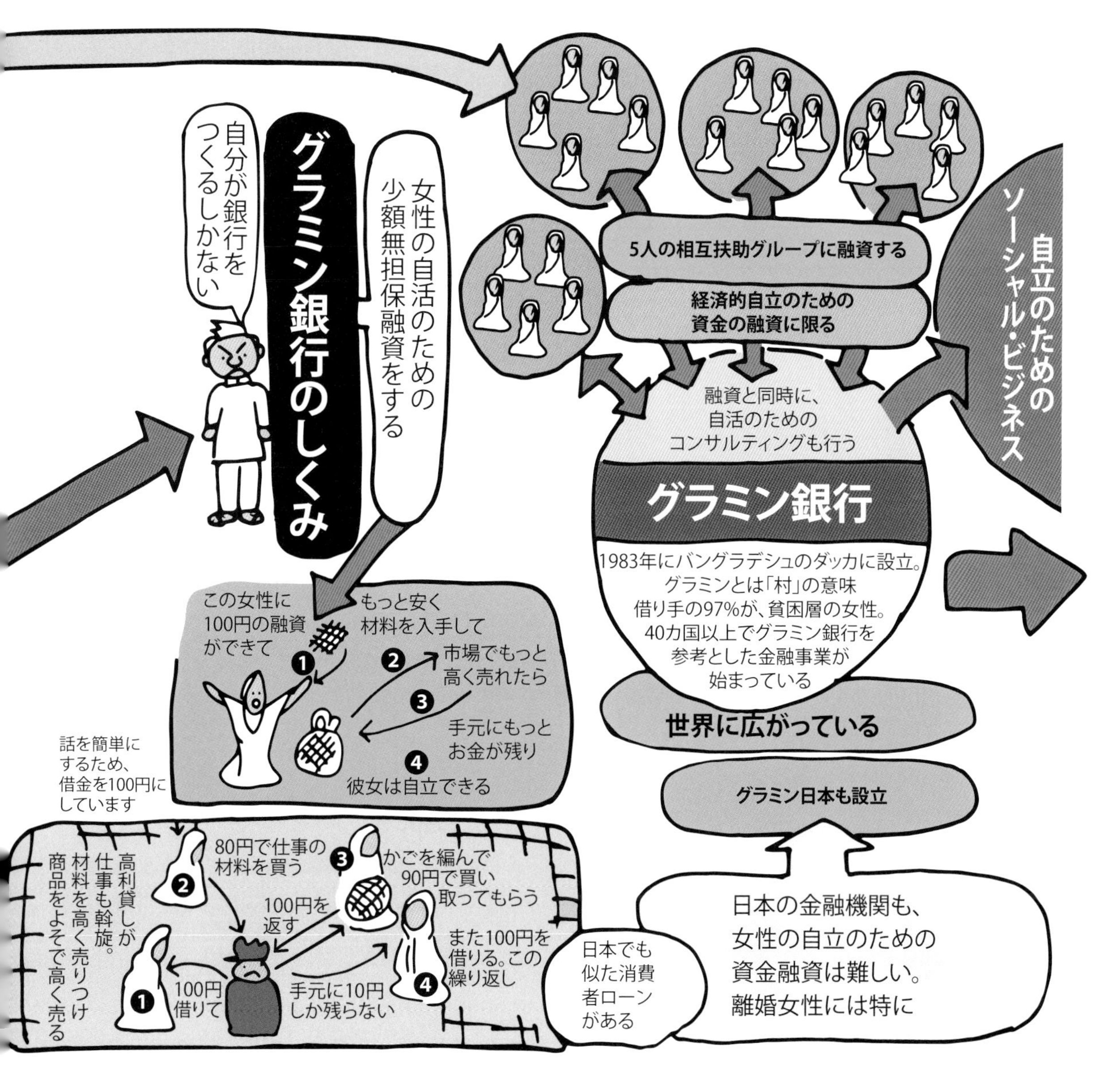

定常経済社会のひとつの形
ソーシャル・ビジネス

利益ではなく社会貢献が目的

グラミン銀行には、融資(ゆうし)に当たって、重要な規約があります。それは、日々の生活費は融資しないというもの。あくまで、新しい仕事を始めるための資金としてお金を貸し、収入が得られるようになったら、少しずつ返済するしくみです。グラミン銀行は、主に貧しい女性たちに対して融資を行い、起業した女性たちとともに、新しいビジネスの領域を切り開いてきました。

その新しい領域を、ユヌスさんは「ソーシャル・ビジネス」と呼びます。これまでのビジネスの目的は、企業利益の追求でし

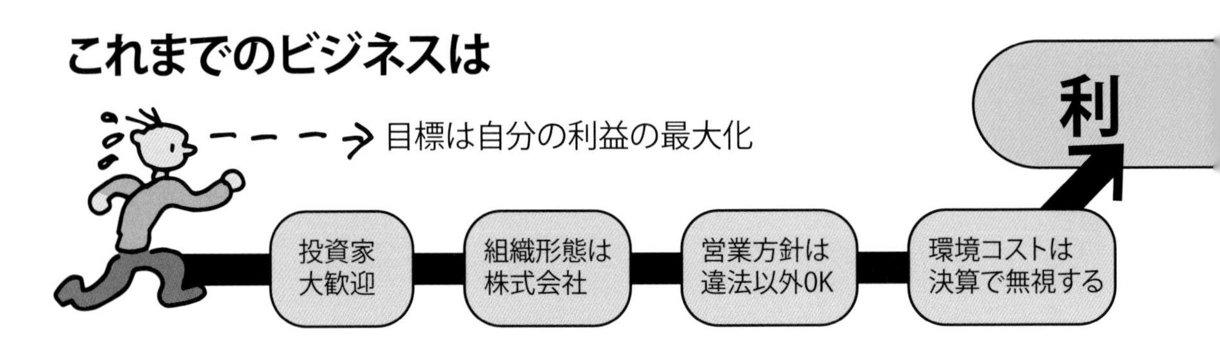

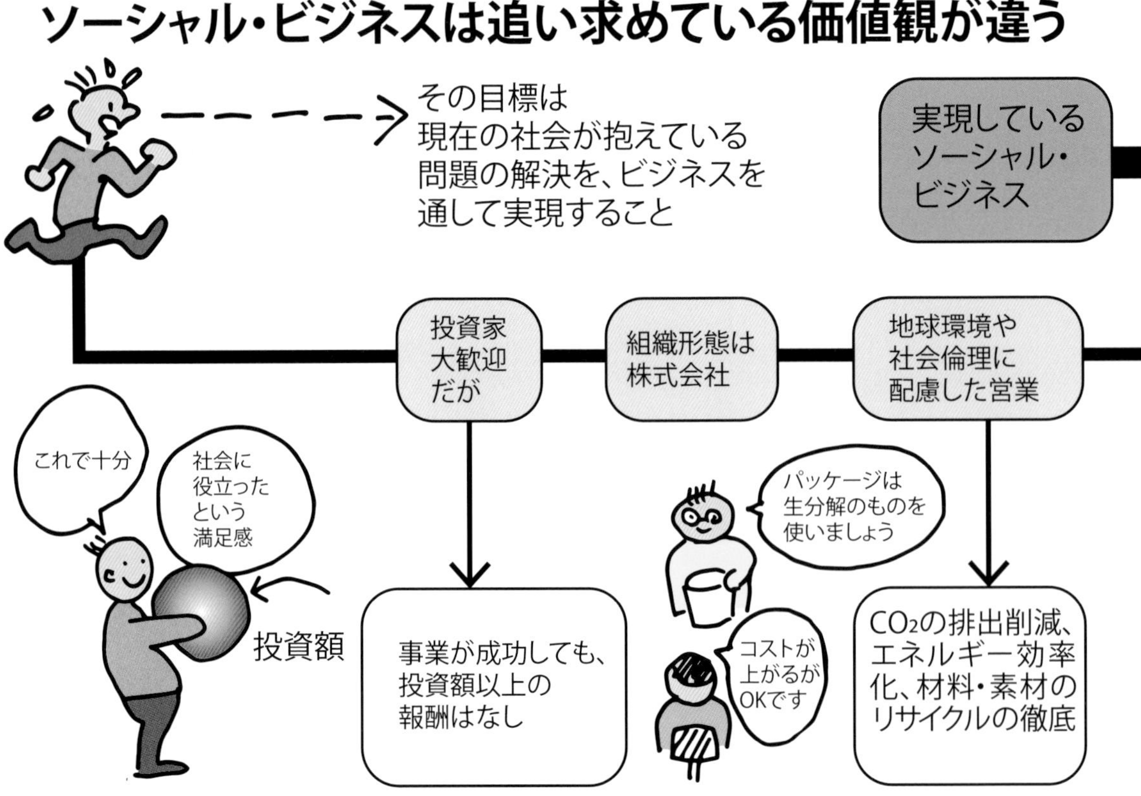

たが、ソーシャル・ビジネスの目標は、貧困など社会が抱える問題を、ビジネスを通して解決することです。それも株式会社として投資家を募り、厳しい市場で成功し、投資を回収して持続可能なビジネスとして成立させることを目指しています。

ソーシャル・ビジネスが一般のビジネスと異なるのは、経営に関して、厳しい条件を自らに課していることです。投資家は投資額を回収しても、それ以上の配当は受け取らない。経営に当たっては、これまでの資本主義が無視してきた環境コストをきちんと内部化する。営業利益は、事業が継続できる範囲に抑え、従業員の給与もこの範囲で十分なものとし、それでも余剰があれば製品を値下げする、などです。

ユヌスさんは、このソーシャル・ビジネスのことを「新しい資本主義」と言います。人間の善意から始まる社会事業を、自由市場の厳しい競争で勝ち抜く事業に育て、企業利益よりも、社会問題に継続的に貢献することを目標とするからです。

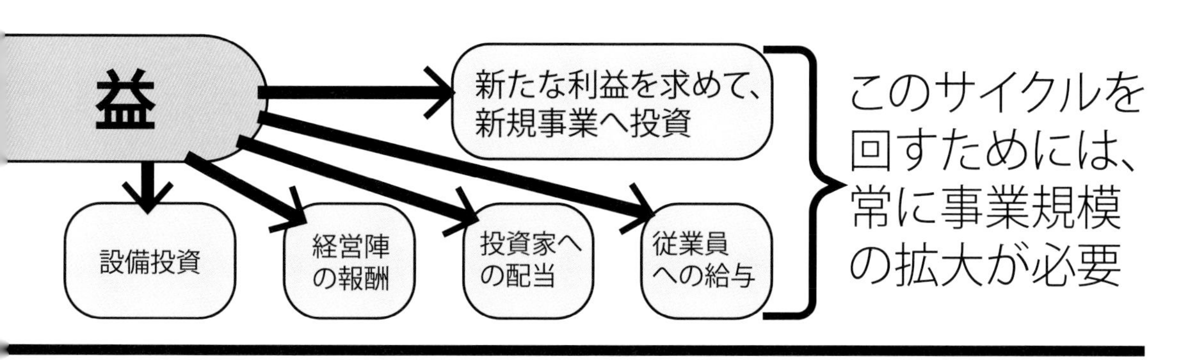

ソーシャル・ビジネスで誰を助けるのか

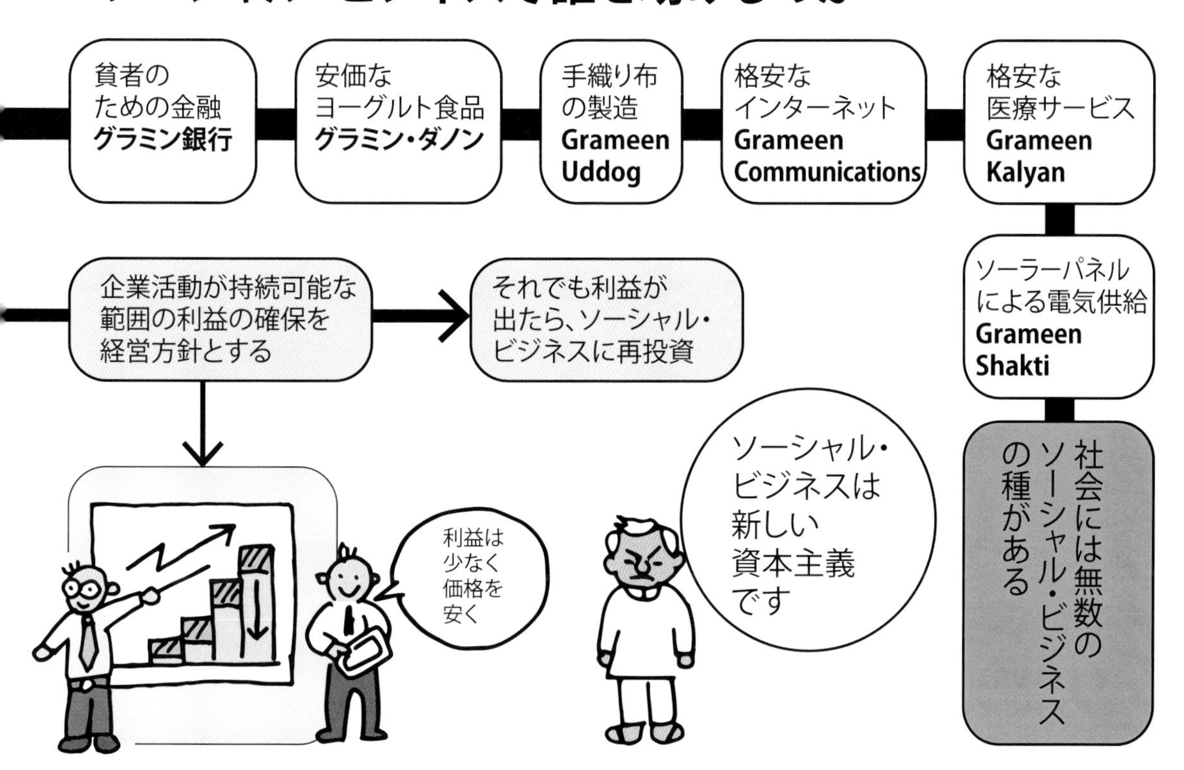

理想の未来をつくるために資本主義はリセットできる

30年後に暮らしたい世界

資本主義（しほんしゅぎ）は、世界金融（きんゆう）から、私たちの日常のお金のやりとりまで、あらゆる経済活動を動かしている基本システムです。本書では、このシステムの理想と現実、そして問題点を、皆さんとともに学んできました。

最後に、下の図を見てください。「資本主義リセット・システム」という名の、架空のシミュレーターを操作するコントロールパネルです。下には、30年後の2050年までの時間経過が示されています。

右端にあるのは、私たちが、このまま何もせず、世界が現状の資本主義システムの

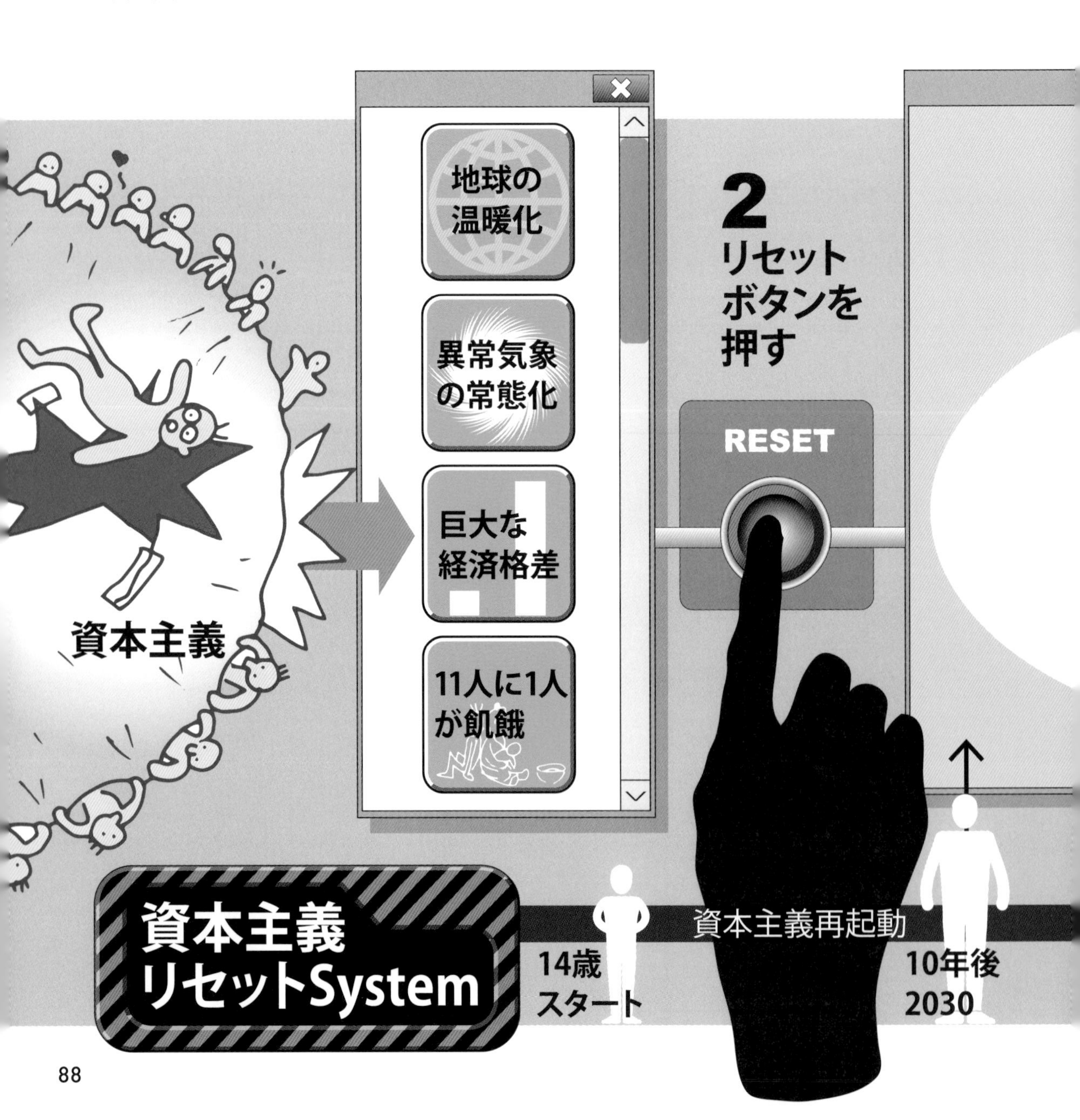

ままで進行した場合に予想される30年後の姿です。もしあなたが現在14歳だとしたら、44歳のあなたが暮らす世界の予想図ということです。どれも、大切な家族とともに暮らしたいとは思えない世界なのではないでしょうか。

そのなかに、「1」と番号がついた空白があります。ここに30年後のあなたが暮らしたい世界の姿を描いてみましょう。そして、「2」のリセットボタンを押します。

ここからは自由に思考を膨(ふく)らませてみてください。30年後の理想の世界を実現するためには、どんな経済システムが望ましいのか、想像してみましょう。本書で見てきた定常経済(ていじょうけいざい)やソーシャル・ビジネスも、候補のひとつになるでしょう。

現在の資本主義も、そうやって人間の思考によってつくられてきました。同じように、これからも、資本主義をよりよいものにつくり変えていくことができるはずです。その担(にな)い手は、いうまでもなく、これからの時間を生きる皆さんです。

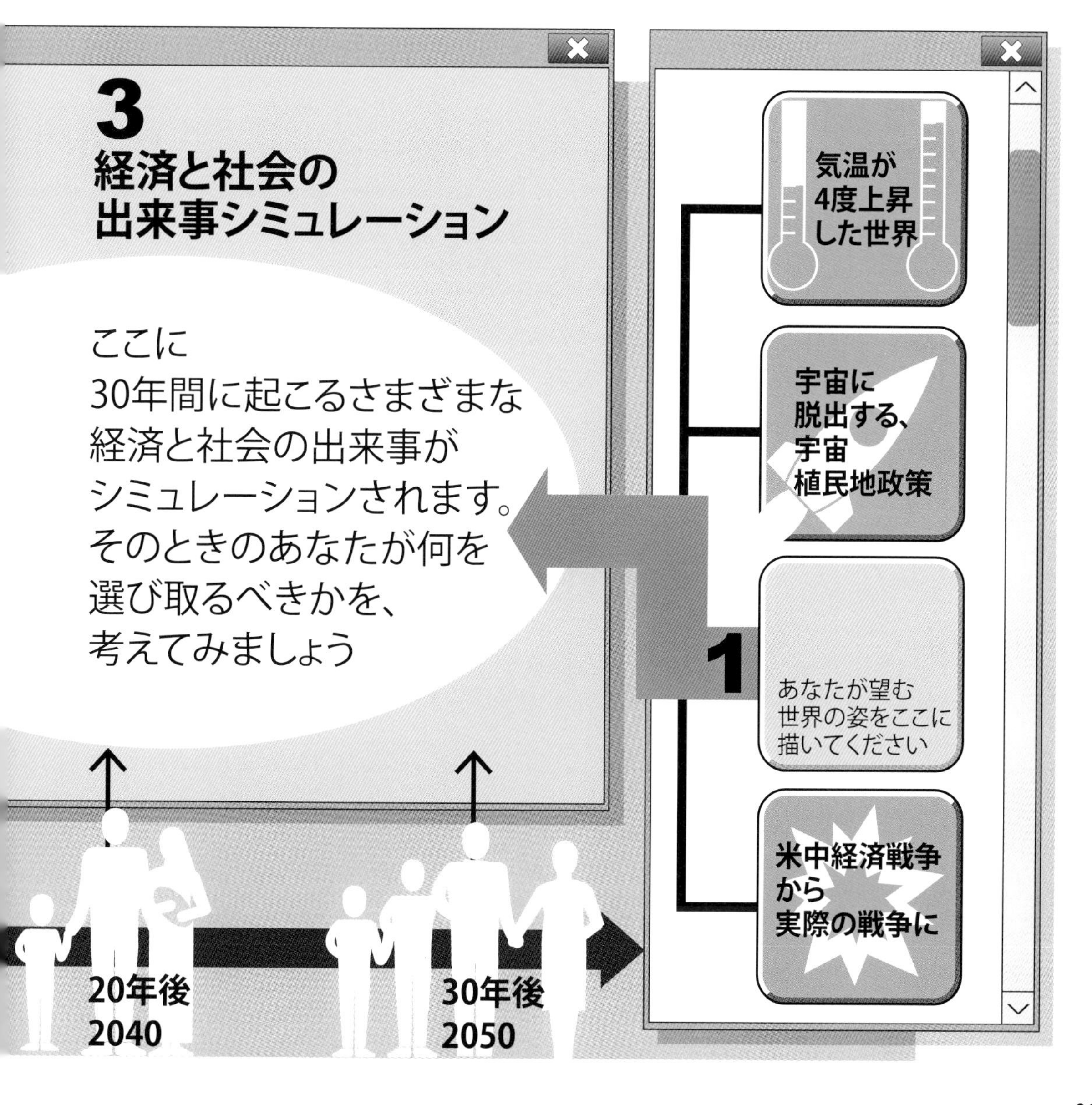

おわりに

これまでの資本主義に警鐘を鳴らし新しい経済のあり方を問うSDGs

図解シリーズ第13号にあたる『14歳から考える資本主義(しほんしゅぎ)』は、前号の『14歳から知る気候変動(きこうへんどう)』の続きともいえるものです。『気候変動』号のあとがきで触れたように、第50回ダボス会議でスピーチをした17歳の環境活動家、グレタ・トゥーンベリさんに対し、アメリカのムニューシン財務長官は「大学で経済学を勉強したら」と皮肉(ひにく)りました。しかし、その「経済学」が誤っていたために、気候変動が引き起こされたのではないでしょうか。

本書は、気候危機を訴えるグレタさんに共感するような若い世代に学んでほしい、新しい経済学についての本を目指しました。同時に、ムニューシン氏のような大人たちの学び直しの本でもあります。

本書をお読みくださった皆さんは、これまでの資本主義、特にアメリカ発の新自由主義的資本主義が、どこでどう間違ったのか、もうおわかりでしょう。これまでの資本主義を理論づける経済学は、人間を含めた自然環境を、その理論から排除(はいじょ)していたのです。人間も自然も存在しない架空の経済環境で、どれほど強奪的(ごうだつてき)で暴力的な経済行為が行われていても、学者たちの理論のうえで整合性がとれ、その結果、企業利益が上がり、自分たちさえ豊かになればそれでいい。そんな経済理論がまかり通っていたのです。

そこに警鐘(けいしょう)を鳴らしたのが、国連のSDGs(エスディージーズ)でした。SDGsは、限られた地球資源のなかで、ほかの生物と共生しながら、持続可能(じぞくかのう)な社会をつくり、すべての人が公正で幸せな暮らしを営むためにはどうしたらいいか、それを可能にする経済のしくみとは、どうあるべきなのかを、全人類に問いかけます。

本書は、そんな壮大な問いかけに答えるための、小さな一歩を後押しするものです。SDGsが目指す2030年まで、あと10年。幸せな未来のために、新しい経済のあり方を考えなければならない時にきています。

参考文献

『サピエンス全史 上・下』（ユヴァル・ノア・ハラリ著、河出書房新社刊）
『ホモ・デウス 上・下』（ユヴァル・ノア・ハラリ著、河出書房新社刊）
『経済学は人びとを幸福にできるか』（宇沢弘文著、東洋経済新報社刊）
『社会的共通資本』（宇沢弘文著、岩波書店刊）
『自動車の社会的費用』（宇沢弘文著、岩波書店刊）
『地球温暖化を考える』（宇沢弘文著、岩波書店刊）
『経済学の考え方』（宇沢弘文著、岩波書店刊）
『金融システムの経済学 社会的共通資本の視点から』（宇沢弘文・花崎正晴編、東京大学出版会刊）
『人間の経済』（宇沢弘文著、新潮社刊）
『経済と人間の旅』（宇沢弘文著、日本経済新聞出版社刊）
『始まっている未来 新しい経済学は可能か』（宇沢弘文、内橋克人著、岩波書店刊）
『現代思想 2015年3月臨時増刊号 総特集 宇沢弘文』（青土社刊）
『資本主義と闘った男 宇沢弘文と経済学の世界』（佐々木実著、講談社刊）
『シュタイナーの学校・銀行・病院・農場 アントロポゾフィーとは何か？』（ペーター・ブリュッゲ著、学陽書房刊）
『経済学をめぐる巨匠たち』（小室直樹著、ダイヤモンド社刊）
『善と悪の経済学』（トーマス・セドラチェク著、東洋経済新報社刊）
『絶望を希望に変える経済学 社会の重大問題をどう解決するか』（アビジット・V・バナジー＆エステル・デュフロ著、日本経済新聞出版社刊）
『欲望の資本主義』（丸山俊一＋ NHK「欲望の資本主義」制作班著、東洋経済新報社刊）
『世界の半分が飢えるのはなぜ？』（ジャン・ジグレール著、合同出版刊）
『資本主義って悪者なの？ ジグレール教授が孫娘に語るグローバル経済の未来』（ジャン・ジグレール著、CCCメディアハウス刊）
『14 歳からの資本主義』（丸山俊一著、大和書房刊）
『資本主義の終焉と歴史の危機』（水野和夫著、集英社刊）
『資本主義崩壊の首謀者たち』（広瀬隆著、集英社刊）
『エンデの遺言 根源からお金を問うこと』（河邑厚徳＋グループ現代著、講談社刊）
『「お金」で読み解く世界史』（関眞興著、SBクリエイティブ刊）
『貨幣の「新」世界史 ハンムラビ法典からビットコインまで』（カビール・セガール著、早川書房刊）
『持続可能な発展の経済学』（ハーマン・E・デイリー著、みすず書房刊）
『「定常経済」は可能だ！』（ハーマン・デイリー、枝廣淳子著、岩波書店刊）
『定常型社会 新しい「豊かさ」の構想』（広井良典著、岩波書店刊）
『世界を不幸にしたグローバリズムの正体』（ジョセフ・E・スティグリッツ著、徳間書店刊）
『世界に格差をバラ撒いたグローバリズムを正す』（ジョセフ・E・スティグリッツ著、徳間書店刊）
『世界の 99%を貧困にする経済』（ジョセフ・E・スティグリッツ著、徳間書店刊）
『スティグリッツ教授の これから始まる「新しい世界経済」の教科書』（ジョセフ・E・スティグリッツ著、徳間書店刊）
『自由貿易は、民主主義を滅ぼす』（E・トッドほか著、藤原書店刊）
『ソーシャル・ビジネス革命 世界の課題を解決する新たな経済システム』（ムハマド・ユヌス著、早川書房刊）
『貧困のない世界を創る ソーシャル・ビジネスと新しい資本主義』（ムハマド・ユヌス著、早川書房刊）
『ひらく③』新・経済学批判（佐伯啓思監修、エイアンドエフ刊）
『3・11 以後 この絶望の国で 死者の語りの地平から』（山形孝夫、西谷修著、ぷねうま舎刊）
『閉じてゆく帝国と逆説の 21 世紀経済』（水野和夫著、集英社刊）
『知の逆転』（ジェームズ・ワトソンほか著、NHK 出版刊）
『サブプライム問題とは何か アメリカ帝国の終焉』（春山昇華著、宝島社刊）
『スターリン』（横手慎二著、中央公論新社刊）
『君はエントロピーを見たか？ 地球生命の経済学』（室田武著、朝日新聞出版刊）

索　引

あ

か

さ

た

な

は

ま

や

ら

わ

インフォビジュアル研究所既刊

「図解でわかる」シリーズ　好評発売中

『図解でわかる
ホモ・サピエンスの秘密』

最新知見をもとにひも解く、おどろきの人類700万年史。この1冊を手に、謎だらけの人類700万年史をたどる、長い長い旅に出よう

定価(本体1200円+税)

『図解でわかる
14歳からの お金の説明書』

複雑怪奇なお金の正体がすきっとわかる図解集。この1冊でお金とうまく付き合うための知識を身につける

定価(本体1200円+税)

『図解でわかる
14歳から知っておきたい AI』

AI(人口知能)を、その誕生から未来まで、ロボット、思想、技術、人間社会との関わりなど、多面的にわかりやすく解説。AI入門書の決定版!

定価(本体1200円+税)

『図解でわかる
14歳からの 天皇と皇室入門』

いま改めて注目を浴びる天皇制。その歴史から政治的、文化的意味まで図解によってわかりやすく示した天皇・皇室入門の決定版!

定価(本体1200円+税)

『図解でわかる
14歳から知っておきたい 中国』

巨大国家「中国」を俯瞰する! 中国脅威論や崩壊論という視点を離れ、中国に住む人のいまとそこに至る歴史をわかりやすく図解!

定価(本体1200円+税)

『図解でわかる
14歳から知る 日本戦後政治史』

あのことって、こうだったのか! 図解で氷解する日本の戦後政治、そして日米「相互関係」の構造と歴史。選挙に初めて行く18歳にも必携本!

定価(本体1200円+税)

『図解でわかる
14歳から知る 影響と連鎖の全世界史』

歴史はいつも「繋がり」から見えてくる。「西洋/東洋」の枠を越えて体感する「世界史」のダイナミズムをこの1冊で!

定価(本体1200円+税)

『図解でわかる
14歳から知る 人類の脳科学、その現在と未来』

21世紀のいま、「脳」の探求はどこまで進んでいるのか? 人類による脳の発見から、分析、論争、可視化、そして機械をつなげるブレイン・マシン・インターフェイスとは? 脳研究の歴史と最先端がこの1冊に!

定価(本体1300円+税)

『図解でわかる
14歳からの 地政学』

シフトチェンジする旧大国、揺らぐEUと中東、そして動き出したアジアの時代。これからの世界で不可欠な「平和のための地政学的思考」の基礎から最前線までをこの1冊に!

定価(本体1500円+税)

SDGsを学ぶ

SUSTAINABLE DEVELOPMENT GOALS

関連するSDGs

『図解でわかる 14歳からのプラスチックと環境問題』

海に流出したプラスチックごみ、矛盾だらけのリサイクル、世界で進むごみゼロ運動。使い捨て生活は、もうしたくない。その解決策の最前線

定価（本体1500円＋税）

『図解でわかる 14歳からの 水と環境問題』

SDGsの大切な課題、人類から切り離せない「水」のすべて。「水戦争の未来」を避けるための、基本知識と最新情報を豊富な図で解説

定価（本体1500円＋税）

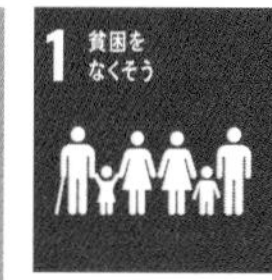

『図解でわかる 14歳から知る 気候変動』

多発する水害から世界経済への影響まで、いま知っておきたい、気候変動が引き起こす12のこと。アフターコロナは未来への分岐点。生き延びる選択のために

定価（本体1500円＋税）

著 インフォビジュアル研究所

2007年より代表の大嶋賢洋を中心に、編集、デザイン、CGスタッフにより活動を開始。ビジュアル・コンテンツを制作・出版。主な作品に、『イラスト図解 イスラム世界』（日東書院本社）、『超図解 一番わかりやすいキリスト教入門』（東洋経済新報社）、「図解でわかる」シリーズ『ホモ・サピエンスの秘密』『14歳からのお金の説明書』『14歳から知っておきたいAI』『14歳からの天皇と皇室入門』『14歳から知る人類の脳科学、その現在と未来』『14歳からの地政学』『14歳からのプラスチックと環境問題』『14歳からの水と環境問題』『14歳から知る気候変動』（いずれも太田出版）などがある。

大嶋賢洋の図解チャンネル
YouTube
https://www.youtube.com/channel/UCHlqINCSUiwz985o6KbAyqw
Twitter
@oshimazukai

企画・構成・執筆	大嶋 賢洋 豊田 菜穂子
イラスト・図版制作	高田 寛務
イラスト	二都呂 太郎
カバーデザイン・DTP	玉地 玲子
校正	鷗来堂

図解でわかる
14歳から考える 資本主義

2020年11月16日 初版第1刷発行
2021年10月26日 初版第3刷発行

著者 インフォビジュアル研究所

発行人 岡 聡
発行所 株式会社太田出版
〒160-8571 東京都新宿区愛住町22 第三山田ビル4階
Tel.03-3359-6262 Fax.03-3359-0040
http://www.ohtabooks.com
印刷・製本 中央精版印刷株式会社

ISBN978-4-7783-1723-2 C0030
©Infovisual laboratory 2020 Printed in Japan
定価はカバーに表示してあります。乱丁・落丁はお取替えいたします。
本書の一部あるいは全部を利用（コピー等）する際には、著作権法の例外を除き、著作権者の許諾が必要です。